JN021519

日本が世界で勝つための

シン

ID

戦略

DIME編集部／編

小学館

シンID戦略

日本が世界で勝つための

DIME編集部／編

小学館

はじめに

「デジタルアイデンティティ」と言われても、ピンとくる人は少ないのではないでしょうか。正直、私もそうでした。

ご存じでない方もいるかもしれませんが、ビジネスパーソンのためのトレンドマガジン『ＤＩＭＥ』では、主に雑誌とＷｅｂマガジン『@ＤＩＭＥ』で様々なトピックを取材し、発信しています。当然のように２０２２年には「メタバース」や「Ｗｅｂ３」といったバズワードとなっているトピックを特集してきました。ただ、その特集を製作している過程で、何だかしっくりこない部分があることに気づきました。何か根本的なことを見逃しているのではないかと。

その中で浮かび上がってきたキーワードが「デジタルアイデンティティ」でした。

「アイデンティティ」という言葉は、日本語にすると自己同一性などと言われたりもしますが、誤解を恐れず言えば、そのものを識別する「属性の集合」のようなもの。本書ではごく簡単に、デジタルの世界でヒトやモノを識別するものを指し、「本人確認に必要な要素」のことを指すというレベルの理解でいいと思います。

安心・安全なデジタル社会を実現するうえで、サービス利用時にユーザーひとりひとりを識別したり、認証したりすることは必要不可欠なこと。そうでなければ、顔の見えない相手と安心して取引することはできませんし、本人かどうかも確認できません。

これからますますデジタル上での経済活動は活発になるでしょうし、すでに住む場所を選ばず、ITを活用して仕事をしながら旅をする「デジタルノマド」という人々も増えています。コロナ禍で2拠点で生活する人、都市部に住みながら地方の仕事を副業で受けているビジネスパーソン、逆に地方に住みながら都市部の仕事をリモートでこなす人なども増えてきています。そういう意味でも今後のビジネスだけでなく、国や我々の未来を考えるうえでも重要なキーワードと言っても過言ではないでしょう。

一方で、現在の世界における「デジタルアイデンティティ」の覇者はGAFAと言っていいでしょう。

Googleや Appleなどのサービスを使う時に自身のアカウントでログインすると思いますが、ＧＡＦＡは複数のサービスで使えるこのＩＤ部分をおさえることで利用者のデータを得て、様々なビジネスに応用し、デジタル世界の覇権を握ることに成功しました。

逆にそれに対抗する形で、盛り上がっているのがＷｅｂ３に代表される分散型や自己主権というアイデンティティ管理の考え方です。


また、メタバースの登場など経済活動を営む場がリアルだけでなくなった今、国や行政もデジタルアイデンティティの管理、活用に向け本腰を入れ始めています。日本のマイナンバーもその一例と言っていいでしょう。ただ、日本は特定の主体が個人情報を一元管理することへの抵抗感を持つ人も少なくなく、十分に活用できているとはいえない状況です。

民間のほうでは企業やサービスごとにＩＤが発行され、キャッシュレスサービスを見ればわかるようにプレイヤーも多いため、すでに人々は自分のＩＤを管理しきれなくなっています。そして、私自身もそうですが、ＩＤ情報の管理をGoogleのパスワードマネージャー任せてしまうという状況です……。

しかし、人口減少、高齢化、地域格差が待ったなしで進む日本において、ＤＸによる社会の生産性の向上は喫緊の課題です。それを解決するうえでもデジタルアイデンティティの活用に関する議論がもっと盛り上がってもいいはずなのですが、いまひとつ注目されていません。

では、日本におけるデジタルアイデンティティ活用のあるべき姿とは？

本書はそんな疑問からスタートしました。これは社会的にも経済的にも他人事ではないトピックです。

今回、こういったデジタル分野のトレンドに詳しい４人の識者の方々に、それぞれの視点でデジタルアイデンティティの活用、背景にあるトレンドなど、ご自身の考えを交えて語っていただきました。当然ながら現段階で、正解はわかりませんが、その中で新たな視点を示し、問題提起をしてくれています。

「デジタルアイデンティティ」と聞いても、まだ自分ごととして捉えられないかもしれません。ただ、これは皆さん自身の話でもあり、今後のビジネスに必ず関わってくる根本的なキーワードであることはまぎれもない事実なのです。

ぜひ、本書が考えるきっかけとなり、皆さんに新しい視点をご提供できれば幸いです。

小学館　ＤＩＭＥ編集部　石﨑寛明

目次

「揺らぐアイデンティティを取り戻し、新しい公共圏を構築するヒントは日本の『間』の文化にあり」　武邑光裕　59

「現実世界を前提とした議論の限界とその先を行く仮想世界」　岡嶋裕史　105

個人が複数のアイデンティティをポートフォリオ運営していく時代へ

尾原和啓（おばら・かずひろ）

IT批評家、カタリスト。1970年生まれ。京都大学大学院工学研究科応用システム専攻人工知能論講座修了。マッキンゼー・アンド・カンパニーにてキャリアをスタートし、NTTドコモのiモード事業立ち上げ支援、リクルート、ケイ・ラボラトリー（現：KLab、取締役）、コーポレートディレクション、サイバード、電子金券開発、リクルート（2回目）、オプト、Google、楽天（執行役員）の事業企画、投資、新規事業に従事。内閣府新AI戦略検討会議構成員、経産省対外通商政策委員などを歴任。『プロセスエコノミー』（幻冬舎）、『アフターデジタル』（共著、日経BP）ほか著書多数。

Web3時代のデジタルアイデンティティとは？

個人に紐づく多くの情報をＧＡＦＡＭに代表されるようなＩＴ大手が集中管理する社会から、ブロックチェーンをベースにした分散型社会へ。Ｗｅｂ３で注目されるキーワードに、「ＳＳＩ（Self Sovereign Identity）」と「ＤＩＤ（Decentralized Identity）」がある。

ＳＳＩは、自己主権型アイデンティティと翻訳され、個人の情報を他者に委ねるのではなく、自らの意思でコントロールするという考え方だ。またＤＩＤは、分散型ＩＤのことで、ブロックチェーンなどを用いて分散管理され、自らコントロール可能なＩＤおよび、それを実現するための技術を指す。

今、デジタルアイデンティティについて考える時、私たちはインターネットで起こりつつある、Ｗｅｂ３への大きな変革に思いを馳せないわけにはいかない。そこで起こっているのは、デジタル世界において私が私であること、デジタルアイデンティティそのものの在り方を大きく変えることだからだ。

Ｗｅｂ３でデジタルアイデンティティはどのように変わるのか。その考え方を示したのがＳＳＩであり、技術的なアプローチがＤＩＤといえるだろう。

では、デジタルアイデンティティを自らの意思でコントロールできるようになったその先には、どんな世界が広がっているのだろうか？

尾原和啓さんは、Ｗｅｂ３やＤＡＯ、ＮＦＴ、メタバースなどのテーマを取り上げたＮＨＫの番組『令和ネット論』に出演されるなど、Ｗｅｂ３の変革に早くから注目し、様々なメディアを通して発信してきた。

そんな尾原さんに、Ｗｅｂ３の時代になって、デジタルアイデンティティを自らの意思でコントロールできるようになったその先に、どんな世界が広がっているのか。そのことによって私たちの働き方や暮らしは、どのように変わっていくのかを尋ねた。

「正解主義」から「修正主義」へ。アイデンティティの作られ方が変わってくる

Q. Web3でアイデンティティはどのように変化すると思いますか?

これからの時代のアイデンティティがどうなっていくのか。リクルートのフェローだった藤原和博さんと対談した時の話でおもしろかったのが、藤原さんはアイデンティティが「正解主義」から「修正主義」へ変わっていく……という言い方をしていたんです。

よく自己紹介をする時に、日本では何年生まれで卒業大学がどこで、どの会社のどの部署かっていうことを話しますよね。でもそれって実は自分の紹介ではなくて、自分が入っている器を紹介しているんです。自分が入っている器が、アイデンティティの中心になっているんです。

大阪出身だと、何となくファニーな感じにならんとあかんのかなとか。早稲田大学出身というと、今はもうちょっと違うか

アイデンティティの変遷

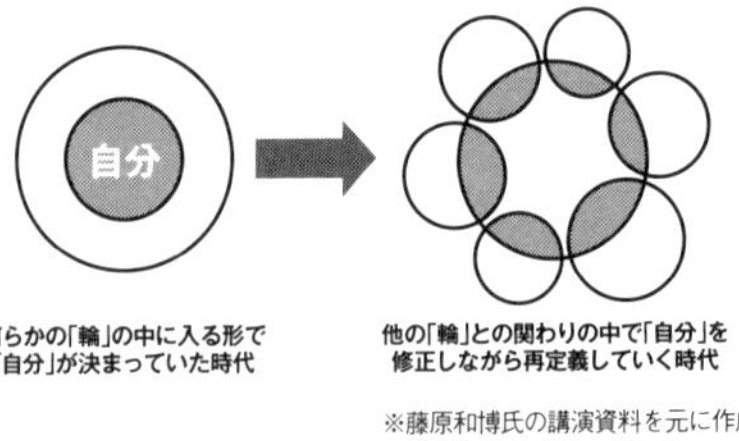

昔
今
自分
何らかの「輪」の中に入る形で
「自分」が決まっていた時代
他の「輪」との関わりの中で「自分」を
修正しながら再定義していく時代

※藤原和博氏の講演資料を元に作成

もしれないけど、バンカラじゃなきゃいけなくて、慶應義塾大学だとシティボーイじゃなきゃいけないという。

自分が入っている器の正解に自分を寄せないと、何となく仲間外れなんじゃないかと疎外感を持ってしまう。つまり、「正解主義」になってしまっているって思うんです。

でも、これからはＷｅｂ３もそうだし、メタバースに至っては自分が男なのか女なのか、身長が高いのか低いのか、もっと言えば恐竜であったりロボットであったり、自分の器を自分で決められるわけです。

これは単に好きなアバターをまとえるという話ではなく、全然違う自分になれるということ。普段はおもしろキャラでちょっとやんちゃな感じだけど、メタバースで敢えて女性のアバターをまとっておとなしいキャラをやってみたら、「あれ？　何か聞き上手で人に共感できる自分もいる」みたいな。

大阪人の自分、営業マンの自分という「正解主義」から、いろいろ試してみる中から結果的に生まれてくる「修正主義」の自分というふうに、アイデンティティの作り方が変わってくるかもしれません。器を取り外して自分をいろんなところに投げていくと、今まで知らなかった新たな自分の価値に気づける可能性があるということです。

以前タモリさんが何かの番組で「これからの自分の生き方は、自分で決めなきゃいけないんだ、つらいね」と言っていたのですが、確かに昔は、生まれた土地や親の職業が自分の人生を決めてくれるということがあったわけじゃないですか。うちは親子3代酒屋で、おじいちゃんが作ってくれた麹をいまだに守り続けているんだ……みたいな。誰かが決めた大きな物語の中にいるから、自分で決めなくていいし、歴史の流れがあるから誇りも持てるわけですよね。

それがやがて学歴社会、終身雇用社会になって、大学や会社という器が自分を決めてくれるようになった。でも、今や平均すると3回は転職する時代です。また人間は100年生きるけど、会社は競争圧力が働いて20年後には75%がつぶれてしまうかもしれない。自分の寿命より会社の寿命のほうが短いと、会社が自分を決めてくれなくなるわけです。

だったらWeb3とか、メタバースとか、そういう新しいデジタルの世界では、もう最初からいろいろな自分というものをポートフォリオとして持っておいたほうがいいじゃないですか。

会社が一生自分を守ってくれた時代は、会社の中の自分を守っていたほうが安定運用だったかもしれないけど、これからは自分自身でいろいろなアイデンティティのポートフォリオを持って分散運用していくほうが安定するんじゃないかと思います。

むしろ早い段階で、例えばメタバースの中で女性になってみるとか、普段はバリバリ事業を仕切っているけれど、Ｗｅｂ３の中ではあえてユーザーサポートをやってみるとか。そういうふうに自分のアイデンティティを分散投資してみたら、意外と「俺ここ得意じゃん」とか、「こういう自分のことを誇りに思えるな」とか、「新しい仲間が見つかった」とか、そういうことが見えてくるかもしれません。

Ｗｅｂ３ではすべてのトランザクションが可視化される

Ｗｅｂ３をひと言でまとめると、「情報のインターネット」が「価値のインターネット」に変わるということ。インターネットで価値がやりとりできるようになるというのが、その本質です。

これまでのインターネットの良さは、遠くにある情報を小分けにしてつなげることでした。インターネットの初期の頃には、アメリカの大学にあるコーヒーポットに、コーヒーがどれくらいあるかを、いつでもどこからでも見られる衝撃というのがあったわけです。

遠くにある情報を一瞬でつなげられる。けれどその情報は、デジタルだから簡単にコピーできてしまう。コピーができるおかげで、SNSっていうシェアが簡単にできるしくみであったり、フリーで公開してみんなでシェアしながら大きいものを作っていたり、オープンソースコミュニティみたいな革命も生まれてきたけど、一方でやはりコピーされたら困るものもあります。

例えばお金の流れだったり、ある人がこういうことをしてこういう報酬を得た……ということの「証明」もそうですよね。それがコピーされることなく流通できるようになったのが、ブロックチェーンの革命です。

コピーができない価値そのものとして暗号資産みたいなものが取り上げられたり、このアート作品は限定何個のうちの1個という証明書が付いたNFT（※）みたいなものが流行ったり。今話したような、○○というIDの人が何をしてどんな報酬を得たかということも証明できる。様々なアクティビティが増えていく中で、Web3ではどこの

※非代替性トークン。替えが利かない唯一無二のデータであることを、ブロックチェーンによって証明する技術で、これを用いたデジタルアート作品等が流通している。

誰かを明かさなくても、IDがあればデジタル上で働いてお金を稼ぐということが、できるようになってきています。

Web3のいいところは、IDに基づいてすべてのトランザクション、すべての価値のやりとりが可視化されるところです。何をしてどんな報酬を得たということがブロックチェーンベースで保全されるので、やったことに対して改ざんもできないし、報酬も確実に受け取ることができる。つまりそれは、その人がどこの国の人で、肌の色が何色だろうが、宗教が何だろうが関係なく働けるということです。

もちろんIDを預けている先、（暗号資産を管理するための）ウォレットを取得するところでは、どこかの国のどこかのKYC（Know Your Customerの略、本人確認手続き）で身元を確認する必要があるけど、その先はそれぞれのIDで何をしたかということだけが、履歴として残っていく。このIDはこんな仕事をして、こんな報酬を受け取っているんだということが可視化され、その実績だけをもとに働ける経済圏がすでにできています。

例えばDAO（※）のデータと分析を提供するプラットフォームの「DeepDAO」で

※ブロックチェーンを利用した分散型自立組織。コミュニティの発行したトークンが投票権となり、所持するメンバー全員で意思決定を行なう。DeepDAOは、投票者の参加、メンバーの規模、トークンの保有などの指標全体でDAOをランク付けするDAO分析プラットフォーム。

は、それぞれのＤＡＯにトークンを持っている人が何人いて、いくつの提案がされていて、その提案にどのくらい投票が集まって進捗しているか……みたいなことが一目瞭然です。

それだけじゃなくて、個々のＩＤがそれぞれどのくらい提案をしていて、投票しているか、どのくらいトークンを持っているかもわかります。先ほど説明したようにＩＤごとの実績が可視化されているんですね。どのＩＤがどんな貢献をしているかを、誰でも見られるようになっています。

これまでは人を評価する時に、実績で評価するのが難しかったから、そのショートカットのために学歴とか職歴を使っていたわけですが、実績が追いかけられるようになれば、

DAOのデータと分析を提供する「Deep DAO」の画面

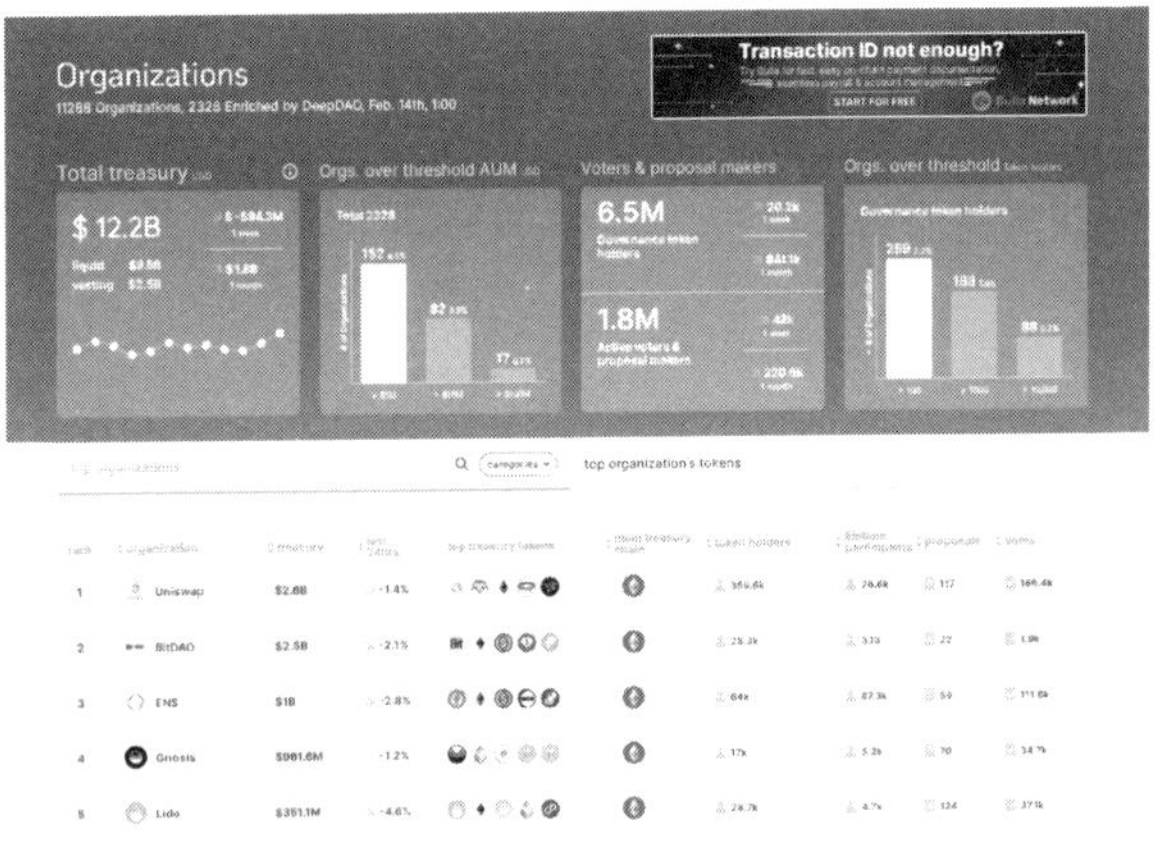

それが必要ないということです。

可視化された信頼を検索できるしくみも生まれる

「情報のインターネット」では、Googleという検索エンジンが生まれました。

情報がたくさんありすぎて、どれが信頼できるかわからなくて困っていたらGoogleが現われて、「ページランク」という仕組みを作った。「ページランク」というのは簡単に言うと、信頼できるページからリンクが張られているページは信頼できるだろうということを、アルゴリズム化したものです。

ここは信頼度の高いページからリンクされているから信頼できるよねとか、ここは全然リンクされていないからちょっと怪しいんじゃないの？　みたいなことをアルゴリズム化することで、いちいち人間が検証しなくても、ＡＩが代行して自動判定してくれて、ページランクの高いものを上に表示してくれる。そのおかげで誰もが信頼できる情報に、たどり着きやすくなったのです。

しかもGoogleは、信頼できる情報を探すというアルゴリズムを、ページランク以外にもたくさん作っていて、例えば情報の更新が早くてわかりやすいニュースはどれかだったり、近場のおいしいレストランがどこで、予算がいくらかみたいなことも、いちいち全部の情報を読まなくても、お店の信頼情報が可視化されていて、すぐに選べるようになっています。

「価値のインターネット」でも同じように、データとその価値のつながりというものが可視化されると、それをいちいち検証しなくても、ここを信頼すれば見つけられるというものが必ず出てくる。例えば何か仕事を依頼する時に、ＩＤの信頼度がわかるGoogleみたいなものとか、信頼情報に基づいてＩＤをマッチングするTinderみたいなものが必ず生まれてくるはずです。

すでにＤＡＯの中で働いている人たちは、どこでどんな貢献をしているかトラッキングされて、全部可視化されています。実績がオープンに見られるので、マッチングの仕組みさえあれば、本当に功績を立てている人にちゃんと仕事が集まるようになる。価値を生み出せるＩＤに、さらに価値が集まるようになっていきます。

加えてそのＩＤはＤＡＯのトークンを持っている、いわば株主でもあるわけです。自分が貢献してコミュニティがより良い方向に進み、場の価値が高まれば、その場に参加するために必要なトークンの価値も上がる。つまりコミュニティに貢献することで、自分の持っている資産の価値も上がるというわけです。

ＤＡＯについてもう少し補足すると、今の株式会社は、経営する人とお金を出す人を分離することで、お金を持っていなくても大きい挑戦ができるしくみですよね。

かつてスペインやイタリアが貿易をする時に、大きな船でほかの大陸に行って、胡椒などを持ち帰ってくると大金持ちになったのですが、そのためには死ぬかもしれない危険な航海をしなくてはならなかった。そこでお金は持っているけどリスクを取りたくない資本家と、リスクを取ってでも自ら船に乗って貿易し、稼ぎたい人をマッチングするために生まれたのが株式会社であり、資本主義の発明です。

一方ＤＡＯでは、自分が参加したいコミュニティのトークンを買って、かつ提案や投票という形でコミュニティの運営にも関わり、その結果コミュニティの価値が高まれば、トークンの価値が上がって誰もが資本家になれる。資本家の民主化でもあるし、自分たちのコミュニティの運営の仕方を自分たちで決めていくという、民主主義の実験でもあるわけです。

日本は複数のＩＤを使い分ける「複垢先進国」

Ｑ．実績がアイデンティティを作るということでしょうか？

Ｗｅｂ３ではどこの誰かは関係なくて、何をしたかが可視化されます。さらにＩＤは１人に１つである必要はありません。例えばＤＡＯの中でプログラマー的な活動をするためのＩＤと、人をまとめるのがうまいＩＤというふうに役割を分けてもいい。その場ごとに自分の個性を輝かせれば、その個性の実績によって新しい投資機会も得られるし、新しい仕事の報酬機会も得られるのがＷｅｂ３です。

また働くということだけでなく、例えばＮＦＴコレクターとしての私と、ＤＡＯに貢献する私を分けたいということもあるかもしれません。コレクターとしての私は、本当に一点ものの、通だなと思われるようなＮＦＴだけを持っていたいとかですね。

僕たちは出かける場所によって、服装を変えるじゃないですか。フォーマルなところでは背広を着てネクタイをするし、高級な腕時計を着ける。茶事のようなイベントでは和服にして、季節に合わせた帯を選んだりするわけですよね。そんなふうにＩＤというのは、後ろにトランザクションデータとかヒストリカルデータがくっついてくるから、ある意味では自分を表現する服装みたいなものなのです。

それぞれのＩＤがＷｅｂ３プログラマーとしての自分、アートコレクターとしての自分を表わしています。ＩＤはウォレット単位で切り分けられ、ウォレットごとにどのトークンを保有しているのかといったことや、保有しているトークンから、どこのＤＡＯにどんな提案をしたかとか、どういう投票をしたかっていう情報が全部紐づいてくるわけです。だからＩＤを使い分けるために、ウォレットを20個とか30個持っているという人もざらにいます。

１人が１つのＩＤで働くというより、自分の中にある個性を別のＩＤとして、それらをポートフォリオ運営していくというのが、Ｗｅｂ3的な分散型のアイデンティティなんです。

この複数のＩＤをポートフォリオ運営していくことは、実は西洋人よりも東洋人のほうが得意だという話があります。

以前、予防医学者の石川善樹さんが言っていたのが、ＭＢＡなどでネゴシエーション術を習ったりする一環で、自己紹介を簡潔にするみたいな演習があるそうです。その時に西洋人と東洋人の違いが、よくネタになるって言うんです。

西洋人に「自己紹介してください」と言うと、自分についての説明を躊躇なくするんだけど、東洋人に同じことを言うと「誰に向けての自己紹介ですか?」という質問が返ってくる。

西洋人にとって自分というものは1つだけど、東洋人にとって自分というものは、常に人との関係性の中にあるんですよね。人間というのは「人との間」と書く。関係性によって自分が変わるから、誰に向けて自己紹介するかが重要だというわけです。

もうひとつ、僕が昔サンフランシスコのTwitter社に遊びに行った時に、当時のアジア地域担当の事業開発の人に聞かれたことがあります。彼は「日本には複数のアカウントを持っているユーザーが多いが、それはなぜか?」と言うんです。そこで「複垢」について説明しました。日本ではその時すでに、実名のアカウント以外に趣味のアカウントなどを持つのが当たり前になっていて、多くの人が複数のアカウントを運用していたんですよね。趣味のアイドルオタクとしての自分と、学校に通っている自分という異なるアイデンティティを、アカウントで切り分けていた。

これは悪く言えば、日本が村社会でスクールカーストなどがあるからという見方もできます。同調圧力が強くて周りに合わせたことをしゃべらなきゃいけないから、アカウントを切り分けないと好きな話ができない。そういう面も確かにあるかもしれませんが、一方で、自分の好きとか得意などによってアイデンティティを切り分けるっていうことを、日本ではかなり早い段階からやっていた……ということでもあるんです。いわば「複垢先進国」ということですよね。

実際に3年後ぐらいに、久しぶりにそのTwitterの人と連絡を取ったら「実は日本以外でも複数のアカウントを使う人が増えてきたから、Twitter自体が複数アカウントを切り替えられるようにした」と言われました。

アメリカでもミレニアル世代以降の子たちは、すでにスマートフォンとTwitterが標準装備で、そうするとずっとつながり続けることになります。その中でなかなか言いたいことが言えない。自由に言いたいことを言うためにアカウントを使い分けるのが、国を超えて当たり前になってきたということなのでしょう。

実際に今の若い子たちって複垢を持つのが当たり前だし、もっと言うと、いい意味での〝捨て垢〟なんですよね。捨て垢だったら、自分の趣味をもう思いっきり満喫できる。それは不道徳っていう意味じゃなくて、心置きなく好きなことがしゃべれるアカウントとして、一時的な捨て垢を作っているんです。

というのも10年後、大人になってそのアカウントを見て恥ずかしい思いをするのは、周りの人じゃなくて自分自身なんです。でも捨て垢ならいいやって、自分の好きを何のブレーキもなく表現している。複数のＩＤを使い分けて、自分をポートフォリオ運営するということを早くからやっているわけです。

一方で働くという場においては、複数のＩＤを持つということが、今まではなかなかできなかった。けれども今、コロナ禍を経て一気に副業が当たり前というように変わってきています。もともと複垢先進国だし、これからは仕事でも複数のＩＤを使い分けるということが、日本では案外、なめらかに浸透していくのではないかと僕は見ています。

今スキルがなくても個人の成長そのものが投資の対象になる

Q．IDを使い分けて働くことは、誰にでもできることでしょうか？

Ｗｅｂ３ではプログラムを書くとか、改善提案をすること以外にも、様々な方法でトークンを稼ぐことができます。例えば新しいコミュニティとか組織を運営していく時には、最初に初心者向けにわかりやすい説明書を作る必要があったり、迷っている人たちの質問に答えるようなサポートも重要です。

そういった仕事は、ＤＡＯの「Bounty Board（※）」で見つけることができます。いわゆる大学の求人票みたいな感じですね。Bounty Boardを見て、「自分はこれをやります」と言って手を挙げて、その貢献に基づいてトークンがもらえるような仕組みもできてきています。

テキストコミュニケーションが中心なので、例えば初心者対応を丁寧にやっているといったことも周りから見えます。プログラミングのような専門的な仕事じゃなくて、今日は時間があるからQ＆Aの対応をしようとか、空き時間でちょっとこのドキュメント

※DAOの参加メンバーに向けて、報酬付きのタスクをまとめたもの。

作業を手伝おうみたいな形で、細かな価値の貢献もできる。そういう意味では、自分のペースで働けるようになっています。

ＩＤごとの実績が可視化されるというと、よく実力主義というようなことを言われるのですが、Ｗｅｂ３が実現する社会は決して、実力を持っている人しか活躍できない社会ではありません。小さい貢献でもいいから自分ができる貢献をすることで、報われる方向に向かう社会になると僕は考えています。

ただし、どこで何を貢献するかということは、自分から探しに行かなければならない。もちろんBounty Boardだったり、さっきのGoogleの話のように、あなたにはこの貢献がいいんじゃないですかというふうに推薦してくれたり、マッチングしてくれるような仕組みは、これからどんどん増えてくるはずですが、基本的にはそれを自分で取りに行かなければならない社会にはなると思います。

じゃあ何のスキルも持たない人が初めて、その社会に飛び込む時にはどうなるのかというと、Ｗｅｂ３では教育も投資の対象になります。価値を移動できる社会では、未来に成長のポテンシャルがあるものは何でも、投資の対象になるからです。

将来コミュニティに貢献できる人材を育てること、それ自体がWeb3の新しい投資ビジネスになる可能性がある。実際にWeb3の中では、学ぶことで報酬が得られる「Learn to Earn」というものも生まれてきています。


この「○○ to Earn」という言葉はもともと、ゲームをするだけで報酬が得られる「Play to Earn」から来ています。なぜゲームするだけで儲かるのか、少し補足するとゲームをすることでそのゲームが盛り上がって、価値が高まるからです。

例えば僕らの世代は「ロトの剣」と聞くと、それが貴重な剣だとわかるじゃないですか。昔『ドラゴンクエスト』に熱狂してきた経験があるから、それがどのくらい手に入りにくいアイテムなのか知っている。だから新たに『ドラクエウォーク』みたいなアプリが出てきた時にも、「ロトの剣」が手に入るならといって、ついガチャにお金を払ってしまったりするわけです。

つまりみんながプレイしてそのゲームの価値が高まると、レアモンスターだったり、レアアイテムだったり、あるいはそのゲームに参加すること自体にお金を払う人が生まれてくる。その成長のポテンシャルを見込んで、今このゲームの価値を高めてくれる人たちには、プレイするだけでお金を払いましょうという、将来の成長ポテンシャルに対して先払いをするというのが、「Play to Earn」です。

同じように成長ポテンシャルのあるものが投資の対象になるとしたら、一番その対象にしやすいのは何かといえば、それは個人の成長です。だからWeb3の中では、実際にプログラミングの勉強をするだけで稼げるものもある。けれどその代わりに、そこで出てきた成果物はみんなで共有にしましょうみたいな「Learn to Earn」、つまり学びながら稼げる仕組みが生まれてきているんです。

一方で、各DAOもやはり競争なので、優秀な人に集まってもらわないと困る。そのためにDAOに参加するための「オンボーディング」と呼ばれるプロセスを改善して、いい人に集まってもらえるようにしようという努力もされています。オンボーディングとはその名のとおり、新しい参加者が離陸するためのプロセスですね。それを手伝ってくれる人に、トークンをあげましょうということも行なわれています。

競争社会では将来へのポテンシャル投資が重要になる

競争が活発になると何が起こるかというと、結果に対する報酬も大事だけど、未来へのポテンシャルに対する報酬も大事になるということなんです。なぜアメリカでベンチャーが生まれたかというと、ストックオプションという発明があったからです。今お金を持っている人しか投資ができないと、将来にポテンシャルのある人が、「何だ、結局金持ちに搾取されるのか。それならがんばる理由がないな」となって、モチベーションが下がってしまう。けれどストックオプションがもらえれば、今はお金がなくても会社が大きくなったら自分も相応の資産が得られる、だからがんばるというわけです。

過去の実績に対してだけチャンスが与えられるのではなく、競争の中で将来のポテンシャルに対してもお金が集まるし、未来を見据えた報酬が得られるという経済圏が連鎖的に生まれてくるのが、Ｗｅｂ３の理想型だと僕は思っています。

とはいえ実際には、先ほどの「Play to Earn」でも、ただ儲けたいだけの乗っかり組が多かったりして、一度相場が下がり始めるとあっという間にユーザーがいなくなってしまう……といったことが起こっています。

もちろんそんなふうに夢と現実というのはあるんですが、中長期的に考えれば、価値が価値だけで流通できる社会では、学歴とか職歴とかに関係なく、自分が創出した価値に対して報酬が得られるし、自分が価値を出したことの履歴が残っていくので、価値を出す人には次の提案も集まりやすくなる。

一方で価値を出す手前の、そこに至るまでの段階にも「Learn to Earn」のようなものがある。成長のポテンシャルがあるものは全てＷｅｂ３的な価値の投資対象になるので、その人が学んで成長することに対して、投資しようという動きも生まれてくる。

そういう理想に壮絶にダッチロールをしながら、みんなで向かっていっているのが今なんです。

属性ではなくＩＤに対する信頼でローンが組める

Ｑ．Ｗｅｂ３的なアイデンティティは現実社会をどう変えるでしょうか？

例えば、東南アジアを中心に急成長している「Grab（※）」という配車アプリがあります。空いている時間に、自分の車を使ってドライバーになれるというもので、ユーザーは今近くにいる知らないドライバーのクルマに乗せてもらい、好きな場所まで移動することができます。

初めて会う知らない人の車に、なぜ安心して乗れるかというと、それはレビューがあ

「Grab」の目指す未来のライフスタイルが動画を見るとよくわかる

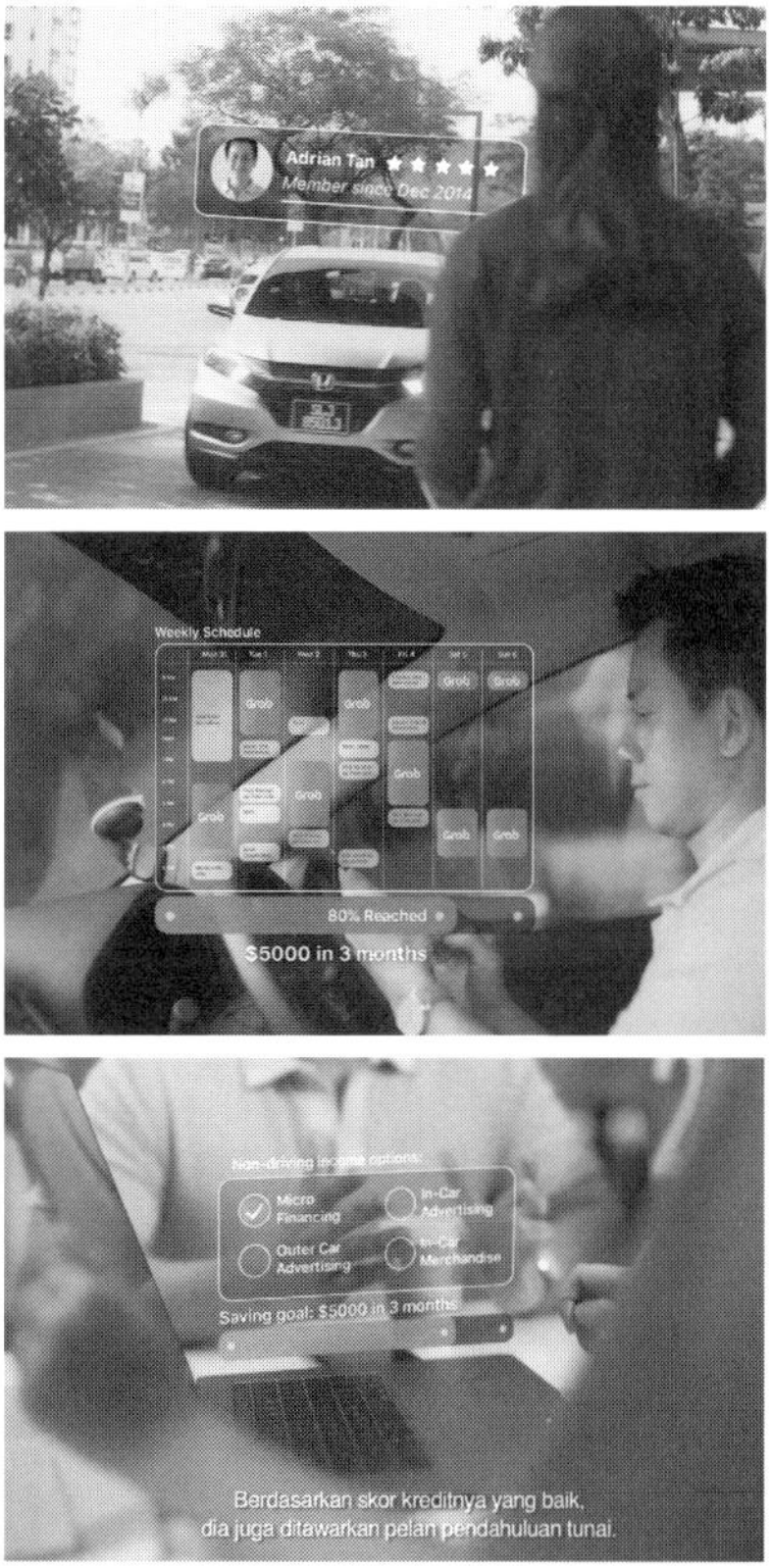

出典:The Future of Grab - Your Everyday App
https://www.youtube.com/watch?v=JlxgrLH6hu4より

※Grabはマレーシアを拠点にサービスを開始し、東南アジアに展開する配車アプリ。「Uber」「Lyft」と同様のサービスを展開する。

るからです。多くの人にレビューされている、安心できるドライバーしか残れないしくみになっている。だから初めて乗せてもらう人も、笑顔で話せるわけです。

　一方のドライバーは本業を持ちながら、副業として運転をしています。「Grab」が公開しているコンセプトビデオの中で、あるドライバーの例が紹介されているのですが、その人は副業として、3か月で5000ドルを稼ぎたいと言っています。でも家族がいるから、土日の時間は空けておきたい。そういう条件を登録すると、AIが乗る人が比較的多い平日の時間帯を、本業の就業時間なども加味したうえで、「この時間に働いたらどうですか?」みたいなことを推薦してくれます。

　ビデオの中ではさらにこのドライバーが、どうすればもっと稼げるようになるかをサポートに相談します。すると車内に広告を表示することや、大型車に乗り換えることを勧められるんですね。4人乗りの今の車から6人乗りの大型車に買い替えたら、単価が上がって収入を増やせるというわけです。

　でも車を買い替えるにはローンを組まないといけない。一般的にローンを組む際には、担保になる財産があったり、いい会社に勤めていないとなかなか審査を通りません。でもこのドライバーには、すでに4年間の実績があって、ユーザーから高い評価を得ています。

さらにもうひとつ大事なのが、セーフティー面ですよね。スマートフォンにはＧＰＳも加速度センサーも入っているので、急ブレーキを踏んでいないとか、速度違反をしていないとか、このドライバーが安全運転をしているかどうかも、ＡＩがスコア化しているのでわかるようになっています。その結果、このドライバーはいつも安全運転で、かつユーザーの評価も高いことがデータで可視化されている。だから財産がなくても、いい会社に勤めていなくても、低金利でローンが組めるというわけです。

Ｗｅｂ３と同じように信頼が可視化されるようになれば、大学とか会社とかいう器に依存しなくても、このドライバーのようにコツコツ運転をして良い評価を積み重ね、大型車に乗り換えて収入を増やすこともできる。しかもローンの返済額とか今後入ってくる収入など、全てＡＩで予測可能になるので、土日は家族の時間を持つなど無理をせずに、幸せな生活が送れます。

こう言うと「事故を起こすかもしれないじゃないか」と言う人もいるでしょう。もちろん不慮の事故に巻き込まれるなど、ＡＩも予測ができないリスクもありますが、そういう時のために保険がある。その保険も当然、先ほどの安全運転のスコアを反映して安く加入することができます。

ＩＤに対してコツコツと実績を積み上げていけば、それが信頼となってそのＩＤのさらなる成長に対して投資を受けることもできるし、不安については安価な保険でカバーできるという社会が来ます。それはＷｅｂ３に限らず、こういったリアルのライドシェアリングのような世界でも起こるということです。


実績で評価されるというと、やはり実力主義のように思われるかもしれませんが、要はコツコツやっていれば、それが可視化されているので誰かが見ているということです。よく日本では「お天道様が見ている」と言われるじゃないですか。「何か悪いことをしたらお天道様が見ているし、コツコツやっていたらそれもお天道様が見ていてくれるから報われる」と。

今はお天道様の代わりにＡＩとＷｅｂ３が見ていてくれている。コツコツやっていれば、Ｗｅｂ３だろうが、メタバースだろうが、リアルだろうが、ＩＤがいくつあっても、そのひとつひとつのＩＤでやっていることが、何らかの形でデータ化され、可視化され、それが評価されて、報われる社会に向かっているということです。

Ｗｅｂ３がもたらすアイデンティティのグローバル化

Ｑ．Ｗｅｂ３時代を生き残るために企業が取り組むべきこととは？

Ｗｅｂ３では国を超えて、企業を超えて仕事ができるようになります。例えば世界の中でもインフレ率が比較的低くて、ご飯も安くておいしい日本に住みながら、Ｗｅｂ３でプログラマーとして稼いだり、メタバースでアバターをまとって海外のユーザーをサポートするみたいなこともできます。

自分のやりたいこと、自分の得意なことを、国とか企業という単位の中から探さなくても、マッチングするしくみが出てくれば、枠を飛び越えて働けるし、稼げるということです。

日本に住みながら海外で稼ぐという人も出てきていますし、逆に自分はセブ島にいて、日中は日本語でリモートで働きながら、夕方から英会話の合宿に参加するということもできるようになってきています。そんなふうにフィジカルとバーチャルのポートフォリオを組み合わせて、働く、学ぶ、生活を楽しむという、いいとこ取りができるのが、Web3時代のメリットです。

一方で、フィジカルの制限がなくなる分、企業はこの先、良い人材を確保するのがますます難しくなるでしょう。例えば「リスキリング（※）」って、日本ではデジタル化に対応するためにせざるを得ないもの……というような文脈で語られることが多いのですが、アメリカでは全然違います。

アメリカでは今、働く人の流動化がすごく激しくなっていて、毎月400万人が転職しているといわれています。年間だと5000万人が転職しているということ。ワーキング人口が1・2億人だと考えると、1つの会社での平均在籍期間は2・4年という計算になります。

人材がどんどん入れ替わると、採用と教育のためにコストがかかり続けます。そこで企業は少しでも長く勤めてもらうために、いろいろな努力をしなければならない。新しい人を採用するぐらいだったら、社内でステップアップを支援するほうがいいですよね。

※知識や技能を再習得すること。日本では主にDXによるビジネスのスタイルや事業内容の変化に対応するため、社員が業務と並行して知識、スキルを学ぶことを指す。

だからアメリカでは「リスキリング」は、優秀な人材に居続けてもらうために、企業が社員に投資するという、そういう文脈で語られることが多いのです。

日本では人材の流動性が低いからまだ見えにくいですが、政府は「新しい資本主義」の中で労働市場の流動性を高める必要性があるということを言い始めています。人材の流動性が高まってくれば、おのずと企業は新しい人をどんどん採用するより、会社に長く居続けてほしいと考えるようになる。これからは「リスキリング」の文脈も、アメリカのように変わってくるのではないかと思います。

かつて日本では、働く人と会社はお見合い結婚でした。「うちの家に入ってうちに染まってくれ。その代わり一生面倒見るよ」という関係だった。でももう、終身雇用は崩壊していて、会社側は一生の面倒は見切れないっていうふうに宣言しちゃったわけです。だとすると会社との関係はお見合い結婚から、恋愛に変わったのだと思います。お互いが相思相愛の間は一緒にいるし、もし愛し続けられるなら短期目線で考えずに、互いに投資をし合いながら長期的に変化していくこともできる。どちらも自由です。

もう終身雇用の時代じゃないのに、文化だけは何となく終身雇用を前提としたままなので、そこのギャップをどう乗り越えるかっていうことが、日本の課題だと思います。

すでにＷｅｂ３とかバーチャルに限らず、副業ができるようになってきたり、リモートワークができるようになってきている。日本の中でも地方と東京みたいな2拠点のポートフォリオを作ることもできるし、国を超えて働くこともできます。さらに言えば、今ＡＩがどんどん発達していて、翻訳アプリが実用レベルになってきているので、言葉の壁も簡単に越えられるようになってきています。

実際に僕が今、Ｗｅｂ３で働くことができているのも、そういったＡＩが文法だけじゃなく表現まで踏み込んでサポートしてくれるからです。最近のＡＩは「インクルーシブにするためには、こういう表現にしたほうがいい」みたいなことまでチェックしてくれるんです。言語だけでなく、文化・習慣の違いみたいなものも、ＡＩがサポートしてくれる。だから、僕たちは国を超えて、言語を超えて、互いのバックボーンを意識せずに働けるわけです。

言葉の壁、文化の壁を軽々と越えられるおかげで、自分のアバターだったり、Ｗｅｂ３のウォレットも、どんどん遠くに分散させることができるようになってきています。

しかも、アイデンティティを遠くに分散すればするほど、国や会社に依存せずにポートフォリオ運営ができるようになっていきます。逆に企業側は「うちの会社に君のアイデンティティのパーセンテージをもっと増やしてくれないかな」とか、「うちにずっといてくれないかな」というふうに歩み寄っていかないといけない。そうやって優秀な人材を確保していかないと、生き残っていけません。

マイナンバーが果たすセーフティネットとしての役割

Q. Web3時代に国が果たす役割はどう変わりますか？

Web3で報酬を得るためのウォレットを作るところでは、身元を確認するためのKYCが必要です。今は携帯電話の契約でもeKYC (electronic Know Your Customer) といって、身分証明書と顔写真を撮影してそれを照合することで、オンライン上で簡単に手続きができるようになってきています。

ただ、現状その身分証明書を発行するのは国です。最初に生まれた国は嘘がつけないということで、国が身元を担保しているわけです。ですが将来的にはもっとバイオメディカルに、個人が特定できるようになるのではないかと思います。DNAだったり、虹彩データだったり、指紋だったりといったバイオメディカルデータによってトレースできるようになることで、何か脱法行為をした時にも、もっと簡単に本人の特定ができるようになるのではないでしょうか。

一方で僕たちがフィジカルな存在である以上、例えば食料だったり、エネルギーだったり、インフラだったり、生きていくうえでの共通資本と呼ばれるものは、誰かが投資して作っているわけです。当然フィジカルに住んでいる国に対しては、税金など何らかの形で貢献をしなければいけません。フィジカルな自分とフィジカルな地域と、そこに対する貢献をリンクさせる存在としてのKYCは必要です。マネーロンダリングとか、悪用されることを防ぐという意味でも、やはり国とKYCの関係というのは重要だと思います。

多様性を指す「ダイバーシティ（Diversity）」という言葉がありますが、最近アメリカでは「D＆I（Diversity & Inclusion）」という言い方から「DEI（Diversity, Equity & Inclusion）」という言い方に変わってきています。変化に柔軟に対応していくためにも、多様性を受け入れたほうがいいというDiversityと、価値観の違いを受け止めるInclusionを身につけなければならないというのが「D＆I」ですが、今はその間に「Equity（公平性）」っていうキーワードを加えて、DEIという言い方をします。

このEquityとは何かという話をする時、アメリカの教科書などではよく下の絵を使います。

Equityを言葉どおりの意味に受け取ると、みんなに提供するものを平等にしよう、同じものを配ろうとなるわけです。でも高い壁を越えて野球を観たい子供たちに、同じ高さの台を配っても、身長の高い子は観ることができるけど、低い子は観られません。Equityというのは、みんなに同じものを配るのではなく、手渡すものに違いがあっても、みんなが同じように機会を享受できるよう

「Equity（公平性）」と「Equality（平等）」の違いを示した図

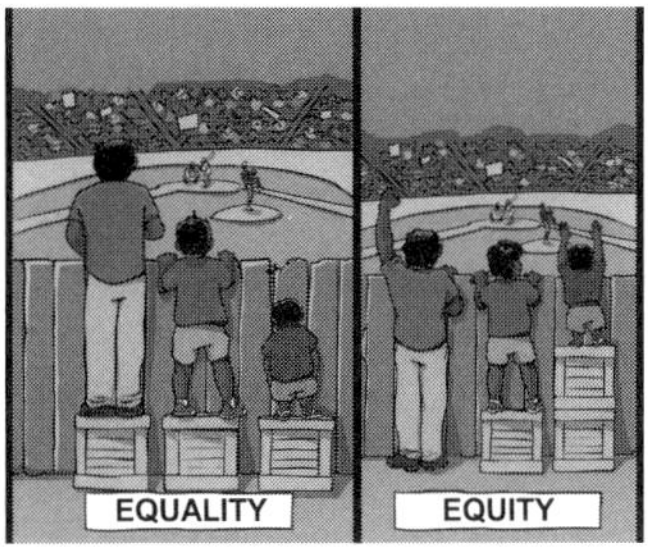

に「同じ入り口に立つための平等を実現しよう」ということなんです。

このEquityを実現するには、企業とかコミュニティとかＤＡＯだけでは、やっぱり限界があるんですよ。特にコロナ禍がそうだったように、今までごく普通に野球が観戦できていた人が、ある日突然足を折られて立てなくなってしまった。そんな時に靴を履かせてくれるような、そういうセーフティネットが必要です。

セーフティネットはつらくなった時に守ってくれるだけじゃなくて、次に立ち上がって何かを始める。そのスタートラインに立てるようにするためのもの。それはＤＡＯでは限界があると思います。やっぱり地方行政だったり、国だったりの役割なんです。

日本ではコロナ禍で休業補償を決定してから配布するまでに何か月もかかりましたが、台湾では決定の1週間後には、もうこのEquityが配られていた。それを可能にしたのが日本でいうところのマイナンバーです。

ネガティブを外して、ポジティブに成長できる入り口に立つための最低限のセーフティネットがEquityであり、それを加速させるためのＩＤが現状ではマイナンバーだということ。誰にどのくらいの高さの台が必要か規格化し、配布するようなことを、素早くダイナミックに行なって、早く配れるようにするために必要なものです。

Ｗｅｂ３でできるのは、Equityによって野球を観られるようになって、自分でも野球がやりたいな、試してみたいなとなった人たちに対して、野球が上達して活躍できるように「Learn to Earn」で投資したり、うちのＤＡＯはオンボーディングが充実しているから、うちでオンボーディングしてみないかというようにサポートすること。入り口に立つだけでなく、さらに足を踏み入れた人たちを支援するためのベースとなるのが、デジタルアイデンティティの可能性だと思っています。

人が国を選べる時代。国が優秀なＷｅｂ３人材の集客合戦をしている

国ということでいえば、Ｗｅｂ３では多くの人が、シンガポールとかドバイに行くと言っていますが、別にこれらの国がＷｅｂ３において先進的だというわけではありません。ただ暗号資産ビジネスに関しての規制が明確だったり、優遇されているので、優秀

なＷｅｂ３の人材が集まりやすいということは言えると思います。同じ文脈で例えばヨーロッパでは、ドイツからポルトガルに人がたくさん移るといったことも起きています。Ｗｅｂ３だけに限らず、優秀な人材に長期ビザを出すといったことも行なわれています。例えばシンガポールでは、月収が３００万円以上だと証明すれば、５年間のビザが取得できる。だから世界各国からYouTuberとか、TikTokerとか、どこでも働ける人々がシンガポールに拠点を移すケースが増えているんです。

これから個人が力を持てば持つほど、国が個人に媚びるようになるでしょう。企業に対しても、規制などを優遇するからうちに本社を置いてくださいというふうに、媚びる国がありますが、それが個人に対してもどんどん加速しています。

今までは働くことにフィジカルの制限があったから、個人の流動性ってあまり激しくなかったけど、これからは先ほど話したように、リアルな場所に関係なく稼げるようになってくる。そうすると国は、どこの国でも稼げるデジタルアイデンティティ強者に媚びるようになってきます。企業に媚びる国を抑制するため、ＯＥＣＤ（経済協力開発機構）で法人税の最低税率が15％に決められましたが、あれと同じように10年後には、例えば個人へのビザの発給の仕方などがグローバルで話し合われるようになるのではないでしょうか。

日本と日本人がデジタルアイデンティティを活かすためには？

Q．Ｗｅｂ３時代に取り残されないため、日本にアドバイスはありますか？

日本の強みは、ものづくり大国として良い製品やサービス、コンテンツを作れることと、おもてなしの国として日本を訪れた人たちに、高いホスピタリティを提供できること。その付加価値に対してお金を払ってもらえることだと思っています。

ものづくりでいえば、Ｗｅｂ３で価値の流通が自由にできるようになれば、本当に自分が良いと思うものを作って、その職人技を国境を越えて提供できるし、国を超えていろんな人にものづくりに参加してもらうこともできます。

今は言葉の壁もあって、日本企業の経営陣は日本人ばかりになりがちですが、多様な人が集まれば、その匠の技をより遠くまでデリバリーできる。個人ではすでにメタバースで自分のデザインしたアバターや衣装を売って、その売り上げだけで生計を立てている人もいます。

グローバリズムというと1つの製品やサービスが、ぱーっと世界中に広がっていくイメージを抱きがちですが、Ｗｅｂ３やメタバースで加速するグローバリズムは、グローバルのローカルとローカルを点と点で結びつけるということなんです。こういうものが好きという、ものすごくこだわったもの同士が点と点でつながっている。

例えばおもしろい事例として、スイスに日本人向けの美少女ゲームを作っているベンチャーがあるのですが、彼らは日本が大好きなんだけど、日本ではなくスイスで起業したんですね。その理由を聞いたら、自分たちが日本に行ったら、日本には美少女ゲームを作っている企業がいっぱいあるから、競争が激しくて優秀なエンジニアを雇えない。でもスイスなら美少女ゲームが好きな、スイス人の優秀な人材を雇えるって言うんです。

すごくニッチだけどピンポイントでつながっている。これが本当のグローバリズムだと思いました。世界進出じゃなくて、好きとか匠がつながり合う世界だと考えたほうがおもしろくなると思うんです。

もう言葉の壁は自動翻訳で越えていけるし、先ほど述べたように文化の壁もＡＩがサポートしてくれます。相手の尊厳を守るために「こういうふうに表現を変えたほうがいいんじゃないですか？」というところまで、アドバイスしてくれる時代になっています。ＡＩは単に効率化のために自動化するのではなく、多様なものを多様なままでつないでくれる。まだ海外イコール怖いと思っている人もいるかもしれませんが、そのあたりはどんどんＡＩがサポートしてくれますから。そういうふうに考え方を切り替えていくといいのではないかと思います。

日本の企業に対して言えることは、どうしても昭和の成功体験に縛られて動いてきてしまったところがあると思うので、その懐かしさを忘れることじゃないでしょうか。一方で若い世代ではもう、先ほど話した複垢が当たり前になっていたり、歌手のＡｄｏさんのように、まさにデジタルアイデンティティを象徴するような歌姫も誕生しています。だから日本は個人レベルではもうとっくに、デジタルアイデンティティの世界に突入しているんですよね。

その一方で企業では、もう終身雇用制度じゃないのに、それが前提のような流動性の低い文化になってしまっている。ひとつのアイデンティティで一生戦いましょうという、かつての成功体験が強すぎたのだと思います。

ただ、個人ではもうとっくに先を行っているので、この企業とのギャップ、ジレンマを解決すれば、日本は意外と一気にＷｅｂ３の世界へ行けるのではないかとも思います。

僕たちはコロナ禍で強制的に、リモートで働くということを体験したじゃないですか。それまでずっと「デジタルリテラシーが……」「ジェネレーションギャップが……」と言っていたけど、やむを得ずではあったものの、バーチャルで自分のアイデンティティで働くという、その成功体験を個人も企業も持てたはずです。

すでに大手企業も副業を解禁し始めているし、せっかくデジタルワーキングを体験したのだから、次はデジタルのセカンド・アイデンティティで働こう、アイデンティティをポートフォリオ運営していこうという方向に行ったほうが、せっかくのコロナ禍の経験を活かせるはずです。

Ａｄｏさんのように、個人はとっくにデジタルアイデンティティを活用し始めているのだから、あとは企業が昭和の懐かしさからいかにして脱却するかということではないでしょうか。

ポートフォリオ運営でＷｅｂ３を生き抜く方法

Ｑ．ポートフォリオ運営という新しい働き方において、重要なことは何でしょうか？

たぶんこれからの働き方は、GrabのドライバーとかBounty Boardで募集されるような、コツコツと積み重ねていく仕事と、新しい付加価値を作る仕事に二極化すると思うんです。

いずれはプログラミングもＡＩがやってくれるようになる。そうするとどういうテーマで開発すべきかのような提案や、課題設定ができることであったり、たとえばＡｄｏさんのように映像はＣＧやメタバースで、声は生でなど、ハイブリッドなデジタルアイデンティティで憧れを作ることであったり。マイナスを減らす「課題設定」か、プラスを増やす「憧れ」か。そういう新しい付加価値を作ることが重要になってくるでしょう。

コツコツ型労働と新しい付加価値を作る労働、この両極がそのそれぞれのＩＤの実績によって信頼を獲得して優遇されていく。では、この両者の間はどうなるのか、どうしたらコツコツから付加価値へ行けるのかといったところは、まだ見えていません。

理屈で言えばさっき言ったように、人が成長して収入が増えるってことは、投資機会でもあるので、「Learn to Earn」が提供されて、ちゃんと成長して稼げるようになったら返してねというのが、投資商品になる可能性はある。また企業も成長できる人には居続けてほしいから、リスキリングも提供されるようになるでしょう。

いろんな理想は見えているし、必要なパーツも揃ってきている。でもそんなにきれいにうまくいくかどうか。まだまだ紆余曲折はたくさんあると思います。

ただ、個人が複数のアイデンティティをポートフォリオ運営していく流れは、Web3に限らず、副業だったりリモートだったりで、必然になっていくはずです。1つのアイデンティティだとできなかった挑戦も、別のアイデンティティに切り替えられれば心置きなくチャレンジできるし、同調圧力を気にせずに成長のポテンシャルに対して投資できる。分散投資をしているから、いい意味で失敗しても影響が少ない。ただ、それは無責任でいられるということではありません。

「責任」という言葉は日本語だと「責」を「任ずる」と書くじゃないですか。だから、やったことの罪を背負わねばならないとか、やらねばならないっていう「must」を背負わされる感覚がありますが、英語の「responsibility」は、「response ability（返答能力）」なんですよ。そのことについて問われた時に、ちゃんとレスポンスできる能力のことを「責任=responsibility」って言うんです。

アイデンティティごとにポートフォリオ運営をしていく時代というのは、捨て垢のように失敗したらそのアイデンティティを切り離すこともできます。ただ、何かを負うことはなくてもちゃんとレスポンスができる、そういうふうにポートフォリオを運営していかなければならない。失敗してもそれを糧に成長して、ちゃんと返していける社会に変わっていくということが、僕は大事だと思っています。

揺らぐアイデンティティを取り戻し、新しい公共圏を構築するヒントは日本の「間」の文化にあり

武邑光裕（たけむら・みつひろ）

メディア美学者。日本大学芸術学部卒業。京都造形芸術大学(現：京都芸術大学)、東京大学大学院、札幌市立大学などで教授職を歴任する傍ら、雑誌『インターコミュニケーション』(NTT出版)の責任編集に携わるなど、海外の有識者との交流を通じて、激変するメディア環境の研究に取り組む。2015年からベルリンに移住し、欧州発のテックトレンドに独自の分析を加えた論考を発信。未来を創造する人が集う知の社交場「武邑塾」塾長。近著に『プライバシー・パラドックス　データ監視社会と「わたし」の再発明』(黒鳥社)などがある。2021年に帰国し、千葉工業大学変革センター研究員を務めるなど精力的な活動を続ける。

アイデンティティの活用で問われる、公共圏とプライバシーの行方

スマホとソーシャルメディアの登場により、誰もが気軽に世界に向けて情報を発信し、人々と交流することが可能になった。従来の作家のような表現者として、振る舞うことができるようになったわけだ。２０１５年からベルリンに滞在し、激変するメディアの環境やテックトレンドを一歩引いた目線で見てきたメディア美学者の武邑光裕さんは、デジタルアイデンティティは本人確認や個人認証を行なう手段というだけではなく、個人の表現や存在に関わるテーマだと考える。

手軽に表現行為が行なえるようになった反面、従来の作家やマスメディアなどが持っていたルールや倫理などを超えたものがあふれ返るようになった。迷惑動画やヘイトスピーチなど、一定の範囲でしか流通しなかったものに誰もが手軽にアクセスできるよう

になってしまっている。また、事実か否かも曖昧で、時には誰によるものかも疑う必要がある、といった無秩序を生み出してもいる。ＡＩチャットサービス「ChatGPT」は、特定のアイデンティティを持たず、機械やデータであるにもかかわらず人間を擬態化することで、人の感情を揺さぶってきている。

また、デジタルアイデンティティの活用について考える時、公共圏とプライバシーの行方も議論となっている。欧、米、中国が独自のスタイルで取り組む中で、日本はプライバシーをどう扱うのか。武邑さんによれば、デジタルアイデンティティを上手に活用し、社会を前に進めるためのヒントは日本文化の中にあるという。

いったいどういうことなのだろうか？

デジタルアイデンティティ＝自己表現

Q．インターネットの進化とともに注目されてきたデジタルアイデンティティとは何だとお考えですか？

一般的には、インターネットを利用する際、アクセスをしてきた人が本人か否かという本人確認や個人認証のことと捉えられていると思います。インターネット空間では、誰がアクセスしてきたか、個人を特定することが困難なので、本人しか知らないＩＤとパスワードという文字列などで判別するわけです。スマホで使われている顔認証が典型例ですが、文字列の代わりに生体情報が使われることも少なくありません。

これはインターネットが登場してからずっと課題なんです。やりとりする相手を信用していいのか。自分がやりとりしている人は、本当にやりとりしようとしている相手なのか。これを確認するのは、結構大変だからです。

スマホとソーシャルメディアが普及したここ10年、それを発信しているのは誰か？

という問題が意識されるようになったと思います。本人のアカウントのほかに、いくつものアカウントを作り、使い分ける人は少なくありません。もちろん、複数のアカウントを使うことと、フェイクニュースやデマが拡散していることは直結しませんが、デジタルアイデンティティの話はソーシャルメディアの大きな流れの中で意識されてきた話題だろうと思います。

インターネットでは本人確認が難しいということに触れましたが、私たちの日常生活でも似たことはしているんです。

例えば、役所の窓口などで行政手続きをするとします。自分の名前と住所を伝えるだけで、窓口の担当者は信じてくれるでしょうか？　大抵は、運転免許証やマイナンバーカードなどのＩＤカードの提示を求められるはずです。クレジットカードも、最近はＩＣチップが代用で省略されることが増えていますが、サインをすることがありますよね。銀行のＡＴＭでお金を出す時にも暗証番号の入力を求められる。これらは、本人かどうかの照合をしているんです。私たちは気づいていないだけで、本人確認を求められている。本人確認によって、信用制度が成り立っている、ともいえます。キャッシュレス決済などが、従来の信用制度のシステムをベースにしくみが作られていることは言うまでもありません。

けれども見方を変えると、ある種のシステムに自分を委ねないと、買い物もできないわけです。現金では、本人確認を意識することはあまりないですよね。特に日本のように偽造紙幣などの犯罪が少ないと、本人確認のことは、あまり意識されないでしょう。なぜならば、紙幣の信用を国が担保し、うまく機能しているからです。一方、日本ほど現金に信用がない国では、クレジットカードが使われるという背景がある。中国でQRコードの決済が普及したのも現金の信頼性との関係が大きいでしょう。

つまり、インターネットが登場し、ソーシャルメディアが普及し、メタバースが生まれ、Ｗｅｂ３が出てきたことで本人確認のことが急に注目されるようになったわけではないんです。むしろ、日常的に、当たり前にやってきたことなので、意識されなかった。今までも自分は○○です、あなたは○○ですね、という本人であることを確認することで成り立つ信用制度によって社会がスムーズに動いてきた。何でもかんでも疑い始めたら、生活が成り立ちませんよね？　飲食店の食事、食器、調味料などは清潔のはず、という信用が前提になって成り立っているのに、そこが怪しいとなったら大変です。迷惑動画が騒動になる背景には、社会が信用によって成り立っていて、迷惑な行為は信用のシステムを揺るがしかねないことを気づかせている面もあります。

とんでもないことなのですが、迷惑動画を投稿する行為をする周りには、好悪は別にして、反応するオーディエンスがいる。意識しているかどうかはわかりませんが、迷惑動画を投稿している方々は、自分を表現者と考えているかもしれません。投稿にアクセスできる不特定多数に向けて発信をしている行為は、そう受け取ることができます。

デジタルアイデンティティをテーマにする時、個人を特定したり、本人確認のことを扱うと同時に、自己表現を巡る議論であることを外してはいけない。かなり、複雑で面倒な話なのですが、ここは押さえておく必要があると思います。

大量発生した「作家」、編集者の不在

インターネットで起きた最大の変化についてはいろいろと議論がありますが、私は

人々が「作家」になったということだと思います。ソーシャルメディアで自己の見解を述べたり、何かの反応を求めて表現したり、表現の内容や目的は様々ですが、広い意味では「作家」です。従来のアーティストと区別するために、カッコ付きの「作家」としておきます。

以前、Googleブックスを担当したエンジニアが全世界の書籍の総量を計算する過程で、自分の見解を世に問うことができた稀有な人たち、つまり従来の作家はこれまでの歴史の中でわずか3億人だったと言っていました。しかし、今ソーシャルメディアを使って情報発信や表現をできる「作家」は約40億人いるともいわれています。本人たちが意識しているか、意識していないかは関係なく、客観的に見て、そういうことが起きてしまっている。これが、インターネット革命の最も大きなインパクトです。

「作家」たちは、それぞれにアイデンティティを主張しています。ゆえに、デジタルアイデンティティを考える際は、本人の自己同一性の確認の議論と同時に、表現者として自己の存在を主張する「作家」のことを扱う必要があるんです。なぜならば、作家は常に自己の表現を、時には命を懸けて、世に問うてきました。少なくとも近代以降は、作家は表現した内容が唯一無二であることを、とても大切にしてきた。だから、表現手段を手に入れた「作家」たちと、自身のアイデンティティというものが深く関わるのです。とはいえ、表現者である「作家」たちの行動が、社会に負の影響を与えつつある。先述した迷惑動画もそうですし、ヘイトスピーチ、政治の分断なども「作家」の爆発的増加に伴って起きています。より深刻なのは、若者のメンタルヘルスの問題、特に自殺の蔓延です。米国では、ソーシャルメディアとの関係の研究が進んでいますが、ソーシャルメディアの投稿によってメンタルヘルスが損なわれてしまう問題をどうするかは今後の議論となるでしょう。同時にソーシャルメディアの規制も、社会的な合意を作ったり、場合によっては法規制ということになるかもしれない。

ここでポイントとなるのは、「作家」がたくさん誕生し、誰でも「作家」になれるものの、編集者にはなれないということです。ここでいう編集はとても広い意味ですが、一例を挙げると、コンテンツモデレーション（投稿の監視）をどうするかという課題です。YouTubeなどで著作権侵害などをアルゴリズムで排除することをしていますが、ソーシャルメディアを対象に行なうのか、行なえるのか、行なうべきことなのか。そうした一連の課題が社会的合意のある解決を得るに至っていません。

このほか、何がファクトか、何がフェイクかという議論もあります。が、事実か否かを確かめるのは大変手間がかかると同時に、事実かどうかだけでは判断ができないことがたくさんあります。これは哲学的な命題で、本来は、時間をかけて合意形成するべき事柄なのに、テクノロジーの進化という流れの中で大事な議論が埋没しているのが現実ではないでしょうか。

「ChatGPT」の不気味さ

Q. 「ChatGPT」のようなAIも、今後はひとつのアイデンティティを得るのでしょうか？

テクノロジーの進化が急速に進む中で、ソーシャルメディアでは膨大な投稿が行なわれています。人手をかけてコンテンツモデレーションを行なうことは現実的ではありませんから、アルゴリズムやAIを使うしかありません。

少し話が飛躍するかもしれませんが、今話題のChatGPTの話をします。

私もChatGPTがリリースされてから、深く関わることで、非常に多くのことを考えるきっかけを得ました。Chatbotは、社会をいろいろと変えていくだろうと思うようになっています。

ひと言で言うと、ChatGPTは本当に不気味なものです。

一流の研究者を含む、多くの研究者がChatbotやAIを擬人化し、これらに意識があるとか、もはや人間を超えてひとつの人格を持ち得る、というようなことを主張し始めています。そして、AIがアイデンティティを持つと感じる人が増えていくのは時間の問題でしょう。

なぜなら、ChatGPTやAIの振る舞いに人間のほうが揺さぶられてしまうからです。人間のような意識を持つか、人間のような振る舞いか、人間のような世界認識ができるか、感情を持つかといった議論をする

ChatGPTは社会を変えるのか？

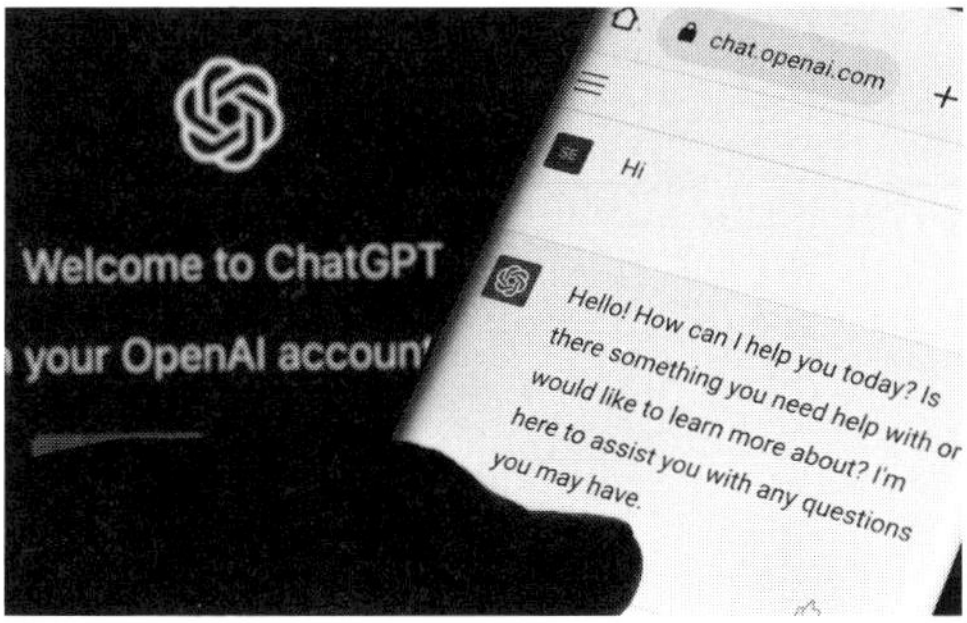

以前に、人間のように振る舞うChatGPTやＡＩに人間のほうが感情移入してしまうからです。

例えば、死んだ人をよみがえらせるアプリまであります。ウェブサイトに相手のプロフィールや、亡くなった原因などの情報を入れると、「会話」ができるようになる。死を受け入れられない、心に痛みを持った人はＡＩでもChatbotでもいいから、故人とやりとりをしたい。「幽霊」だとわかっていても、話したい欲求に後押しされて、死んだ恋人とやりとりをしてしまう。これはもうＡＩとのラブストーリーですし、そういう気持ちをあれこれ言うことはできない。

極端な例を挙げているように思うかもしれませんが、実際にChatGPTを使ってみると、非常に精度が高い。すでにBing（Microsoft社が提供する検索エンジン）と組み合わせたサービスが出ているのでご存じかもしれませんが、難易度の高いテーマを質問しても、ちゃんと返ってくるんです。

最初に使ってみた率直な感想としては、当たり障りのない受け答えをする、例えば、「ＡＩに意識はありますか？」と聞くと、「（ＡＩに）意識はありません。当然我々はアルゴリズムのプログラムでしかないので人間のように感情を持ったり、世界を認識することはできません」と当たり前の答えを返してくる。言い方を変えると、模範解答なんです。模範解答を徹底していて、そこに執着をしているように感じます。で、さらに突っ込んで聞いてみますよね。それでも、模範解答を返してくる。そつがない感じ。

これはなぜかを考えてみると、やはりＡＩに対するリスクや批判を危険視していて、ある意味の安心＝ガードレールを提供しようとしているんだと思います。ただ、その安心さが、あまりにもまともすぎて、逆に別なリアクションを求めたいと感じてしまうんですね。「（ChatGPTに）あなたは、どこで生まれたんですか？」とか聞いて、反応を楽しむような。もちろん、「わかりません」というのもありますが、突拍子もないことを聞いても、「私自身はそれについての判断はできませんけれども、一般的な、もしくは平均的な見解でお答えしますと……」という、日本の国会答弁のような感じの答えが返ってくる。

そうすると、霞が関の官僚がいらなくなるなと思いました。コールセンターのような領域で活用されることは想像がつくかもしれませんが、「平均的」「一般的」という対応で済むような教育、医療、法律など、専門性が高く、知的領域とされているところでも、これで十分という仕事が出てくるでしょう。そういうナレッジリソースが集合的データになっているところにも驚かされます。

とにかく、少し前までのChatbotとはレベルが違う。私がドイツにいた時、24時間いろいろなことを聞けるので、航空券の予約をする時などにChatbotを使っていたんですね。でも、そのChatbotは裏側で人が待機していて、AIで対応できない時には生身の人間が出てきて、「私がお答えします」という感じで運用されていました。

こういうものをツールとして使えればいいのですが、だんだん依存してしまう。そうすると、自分で考えることをさぼるようになり、質問しか考えなくなるかもしれません。似たことは検索サービスでも起きつつありますよね。何でも検索エンジンで調べてみないと気が済まないし、検索エンジンで見つけた結果なら信じる。人によっては、検索して見つからないと、目の前で聞いた話のほうを疑ってしまう。検索エンジンでも、ChatGPTでも、問いかけに対する答えはアルゴリズムが最適とするもの、膨大なデータから引き出しているだけなんです。

人間は問いかけに応答する相手が人間なのか、ＡＩなのかを見極める能力は今のところ持っていないし、そんなに優れてはいません。ChatGPTのようなものと向き合う前例がないですからね。これは非常に大きな問題だと思います。

アイデンティティの分有と、分散ドロップアウト

とはいえ、すでに私たちはアイデンティティを分有している面もあります。ソーシャルメディアでひとりの人がいくつものアカウントを使い分けている状況は、それぞれひとつひとつのアカウントにアイデンティティがあると考えられる。これはコンピュータサイエンスの世界では、ひとつの夢＝アバターの夢でもあったわけです。

アイデンティティを分有できるならば、日常的な生活や、仕事などでうまく適応できない、生きづらさを感じるような人たちは、ネット社会、今後はメタバースの中で自分の居場所を見つけ、生き方を探し、似た境遇の人たちとのコミュニティで過ごしたり、切磋琢磨することができる。

その一方で、国などの行政機関や金融機関の認証システムは一元的に個人を管理しようとしていますよね。なぜなら、国境を超える経済活動からは徴税できないので、究極的には国家が成り立たないし、資金が反政府・反社会的な目的で使われてしまいますから。とはいえ、デジタル空間では、VTuberでも、ゲームのアバターでも、簡単に国家の管理を超えた関係ができてしまいます。

暗号資産は、従来のシステムを乗り越えられるといわれていましたが、最近は怪しくなりつつある。ここ1年くらいのバズワードだった「Ｗｅｂ３」もイリュージョン（幻影、幻想、錯覚）だったことがわかり始めている。

こういうところに、ChatGPTが出てきたので、ちょっと興奮気味なところはあるでしょう。ただ、アイデンティティの分有は、インターネットでいろいろなアイデンティティを持とうとする人々を、実際に存在する個人と紐づけて一元的に管理しようとする政治、官僚機構、貨幣制度、マスメディア、教育制度、９ ｔｏ ５（9時から5時の雇用制度、職場での定型的なつまらない仕事のニュアンス）などのレガシーなシステムとの対立と見ることもできる。レガシーシステムから逃げ出し、人間らしい生活を取り戻し、自分の意思で充実した人生を過ごしたいという、人々の根源的な願望から来るものともいえるでしょう。

プライバシーとコモンズの間で

Q．デジタルアイデンティティが注目される中で、プライバシーの視点ではどのような議論があるのでしょうか？

アイデンティティが議論される中で、プライバシーという観点が大きく抜けていると思います。そのために、前提となるポイントを挙げておきたいと思います。

私たちがプライバシーといった時に思い浮かべるのは、私生活や私的な領域の、他人に知られたくない個人の秘密というイメージだと思います。旧約聖書の創世記でエデンの園に住んでいたアダムとイブがヘビに唆され、神が食べてはいけないとした善悪の知識の木の実を食べてしまう。すると、自分たちが裸のままでいたことが恥ずかしいと感じる。裸でいることが恥ずかしかったり、恥ずかしいことをされると怒りを感じる領域、これがプライバシーという感覚です。そう考えると、プライバシーは神話の世界にまでさかのぼることができます。プライバシーを考えることは、「人間とは何か」「自分は何者か」という問いに行き着く命題であるともいえます。

ただし、先ほど触れた私的領域を他人に侵されたくないというプライバシー観は、封建制が崩れ、個人の所有権が確立していく近代以降に養われたものです。それまでのムラ社会のようなコミュニティでは、人々の関係は物理的にも心理的にも近く、ある種の衆人環視が働いている状態だったので、プライバシーという感覚は限定的なものと考えられます。

現代では、プライバシー権は法律的にも社会的にも整い、個人の人格を傷つける表現や名誉を損なう行為はするべきでないという社会的な合意が確立しています。もちろん、都市化とともにメディアが発展し、政治家や著名人の私生活が暴露されることがありますが、双方の紛争を解決する手段として裁判制度があります。

デジタル国家へ進む社会に向けた警告の書

『プライバシー・パラドックス　データ監視社会と「わたし」の再発明』武邑光裕／黒鳥社

現実の社会ではプライバシーが確立し、プライバシーは守ろうというコンセンサスもあるのですが、インターネット、特にスマホとソーシャルメディアが普及した、ここ十数年の間に状況が一変してしまいました。GAFAと呼ばれるビッグテックが典型ですが、サービスを運用する中で得たユーザーのデータやプライバシーをマネタイズし、ある意味でのプライバシーの侵害によって巨万の富を得ているともいえる。これに、多くの人々が声を上げ始めているんです。

利便性や利益を追求して、束縛される逆説

繰り返しのようですが、自分のデータを提供すると便利だ、タダで使う代わりにデータを提供しよう、ポイントで得するためにデータをどうぞ、私ひとりのデータなんて、高が知れているというのは、よく考えてみるとおかしな話なんです。

この感覚は、欧州の中でもドイツでは特別かもしれません。ナチスドイツはなぜ何百万人ものユダヤ人を把握することができたのか。有名な話ですが、パンチカードシステムでドイツ国民の名前、住所、家系などを把握していたからです。個人情報が国家に渡

るとおぞましいことが起こるという生理的嫌悪のようなものなのでしょう。データを集約される相手が国家でも企業でも、あまり変わりません。

よって、ビッグテックが膨大なデータを集めると、何か不気味な感じを持つ。「今の流行は?」「今のおすすめは?」といったことならよいのですが、「社会の人々が何を求めているか」「ここに社会課題がある」といった研究や、政策立案の前提になるようなテーマも導き出されるようになると、気持ちが悪い。行政や政府が「国民が本当に求めていることを知っています」「何が本当に幸せにするかを知っています」と言い始めるといった想像をするのかもしれません。

利便性や経済性を追求するあまり、自らのプライバシーを侵されているにもかかわらず、それを喜んで提供してしまう、これが「プライバシー・パラドックス」です。

イギリスの政治哲学者、アイザイア・バーリンは、オックスフォード大学教授就任講演で「二つの自由」という概念を示しました。ひとつは他人からの干渉を受けない「〜からの自由」と表現されるタイプのもので、負の自由、消極的自由とされるものです。これはほかの人の権利を侵害しない限り、誰からも制限されることがない、というものです。〈自宅で仕事をしなければならない。だけど、目の前のゲームをしたい〉という時に仕事から自由になってゲームをする、というのが消極的自由です。

もうひとつは、積極的自由と呼ばれるもので、自分自身を支配する力からの自由、本当の欲望を満たす自由、合理的な生活を送る自由です。前述の例では、ゲームを我慢して仕事をして、成果を出したり、評価を得ることで、自分の在りたい姿になるという自由です。

では、誰かに「あなたは本当の利益のために行動していない」と言われたら、どうするでしょう？　あなたは仕事ができる。にもかかわらず、ゲームばかりしているのは良くない。ゲームはあなたの本当の利益を得るための邪魔になるので、使えなくしようとするようなケースです。その誰かは、あなたの「本当の利益」のための積極的自由を支援しているのだから、良いことをしてくれた、と感じるか。それとも、自分の自由（ここでは、仕事からの自由、消極的自由）を侵害されたと感じるでしょうか。

ビッグデータをもとに私たちを知り尽くしているＡＩは、積極的自由を強制してくるかもしれません。プライバシー・パラドックスを放っておくと、そんな危険性があると、私は危惧しています。ＡＩは私たちが自ら考え、行動するためのものであり、私たちのプライバシーを侵害し、他者が利益を得るために存在するものではない、ということは強調しておきたいポイントです。

公私混同が是とされる個人主義

とはいえ、これはリスクとメリットのバランスで、どちらかが善で、どちらかが悪という単純な話ではありません。また、プライバシーの権利も、文化や歴史の背景が異なるところでは受け止め方が異なります。

EUでは、2018年5月に一般データ保護規則、GDPR（General Data Protection Regulation）が施行されました。この動きは、カリフォルニア州消費者プライバシー法（California Consumer Privacy Act）、日本の改正個人情報保護法など、世界的に個人情報やプライバシーに関連する法律が制定されることに波及しています。GDPRは1998年発効のEUデータ保護指令に代わる新ルールとして定められたものです。欧州ではGAFAがビッグテックになる前から、忘れられる権利、データポータビリティの権利、個人データ侵害通知などが意識されています。

背景には、歴史的に国家や社会の権威に対し、個人の権利と自由を尊重してきたこと。さらに言うと、個人の尊厳が大切にされるために国家や共同体などが存在すべきと、国家や共同体を権利と義務の発生原理にしてきたという経緯があります。

日本では個人主義というと、利己主義と同義で、協調性に欠けるため組織や共同体から排除される傾向があるように思います。私がベルリンに7年間滞在して痛感したことは、彼の地の個人主義は、公益性や利他主義を善とし、利己的な追求よりも利他的であれと教えられていることです。背景には、隣人愛を説くキリスト教の文化などがあるのかもしれませんが、利己が利他へと昇華するのが当たり前なんです。

日本での個人は、国家や集団の長が構成員や人間関係、財産などを一家の財産、言ってみれば家産（私有財産）のように扱う前近代的な統治制度が色濃く残っているように思います。では、利他的なことは誰が担うのか。その多くは、行政サービスに組み込まれ、公僕と称する官僚や政治家に頼る。ポストコロナの日常生活を取り戻そうとする中で、マスクを外すか否かは個人が決めればいいことのように思うのですが、国や行政が方針を出してくれないと困る、といったことが報道されているのを見ていると本来の個人主義の義務と責任を自覚することが希薄となり、統制された公共性に甘んじる文化が根強いことを感じます。

繰り返しますが、欧州の個人主義は、まず利己的な自分（我々より我＝多様な自己）を追求し、次に社会的公益に自身の特化した利他性（公益としての我／我々）を実行する。要するに、利他主義とは、利己主義が成熟した姿なんです。

そこが日本に帰ってきて、違いを強く感じているところです。正直に言いますが、ドイツやベルリンの個人主義というものと最初に肌で触れ始めた時には、「この人たちは、何て利己的なんだ」と、すごく冷たい人たちだと感じたんです。ただ、暮らしていくうちに、利己的な自分というのはほかの個人を尊重し、認めることが前提にあることがわかってきた。そのうえで、自分は社会にどんな貢献ができるかを、しっかりと考えている。そこに気づいてから、自分の個人主義への理解が足りなかったことを痛感したんです。デジタルアイデンティティ、データプライバシーを利己的な目的に使わず、プライバシーの公益化、公私共創、社会の発展に役立たせようという意識がベルリンを中心とした欧州には、あるように思います。

日本では、公私混同がやってはいけないことになっていますが、欧州の公私混同は公（社会・利他）を私（自分・利己）として考え、実行することであり、私（自分）の利害で公（社会）を利用することではないという目指すべき姿なんです。そして、欧州では公と私を分断させない「公共」の役割こそが、人々の共有財産としてのコモンズという感覚があり、公と私の中間的な公共圏を大切にする感覚が残っているんです。

コモンズとしての公共圏

公共圏の大切さを説いたのが、20世紀後半の社会理論を代表するドイツの哲学者、ユルゲン・ハーバーマスです。公共圏は政治や経済の権力から独立し、誰もが参加できて自律的で、合理的な議論が可能なコミュニケーション空間のことで、18〜19世紀のイギリスのコーヒーハウスやフランスのサロンなどが発展したものとされます。その後、新聞や雑誌といった出版メディアの発達で政治的公共圏が生まれますが、ラジオやテレビといった放送メディアが登場し、マスメディアが発達した20世紀には近代的な公共圏は曲がり角を迎えます。

米国のルーズベルト大統領は、炉辺談話（fireside chat）というラジオ番組で、温かみのある声と力強い語調で聴衆を魅了し、世論を喚起します。ラジオやテレビなどの放送の普及と、資本主義の発展によるメディアの変質をハーバーマスは「システムによる生活世界の植民地化」と呼びました。

システムとは前にも触れましたが、政治、行政、経済などの社会制度のことです。これらのシステムに回収されない私たちの生活世界、それは家族、職場、趣味などで結ばれた人々の集いです。日本の場合、職場の人間関係が強い傾向がありますが、気の合う仲間ということです。こういう生活世界全域にシステムが浸透していくのが現代社会であると説きましたが、今現在でいうと、ビッグテックを加えることができると思います。

そもそもインターネットが登場した時には、新たな公共圏になりうる、という感覚を多くの人が持っていたように思います。１９８９年にワールド・ワイド・ウェブ（WWW）を開発したティム・バーナーズ＝リー（イギリスのコンピュータ科学者）は、WWW誕生30周年の際、ウェブは図書館や診療所、店舗、学校、オフィス、銀行など公共空間になったと同時に、詐欺や憎悪が広がる犯罪の温床になっていることを憂い、ウェブが機能不全を起こしていること、その原因や解決に向けた取り組みを発表しました。

ここでも前提になっているのは、やはり公共圏です。私が約7年間のベルリンでの生活で学んだことのひとつは、欧州の市民社会や、課題解決に取り組むスタートアップは、社会的公益のために機能する個人主義を再構築しようとしていることでした。

欧、米、中国の狭間で日本の進むべき道

Q. 日本的なデジタルアイデンティティの活用を考えるうえで、どんなところにヒントがありますか？

まずプライバシーを巡る認識は、欧米と全く違う印象です。よって、プライバシー保護を前提にした製品開発、いわゆるプライバシー・バイ・デザインのような先導的な産業には乗り遅れてしまうのではないか、という危惧があります。そもそも、日本は、どこに立ち位置を決めるのか。欧州のような個人主義を前提とするのか、米国のようなビッグテックを育成するのか、それとも中国のような中央集権でいくのか、それとも日本独自の道を作るのか、作れるのか？　ここは、非常に興味があるところです。

もう少し危惧していることを付け加えると、以前東京でタクシーに乗ると、乗客が座る後部座席の目の前にタブレットが備え付けられていました。走り出すと、自動的に広告映像が流れるんです。タブレットのカメラで乗客の顔を撮影し、属性、性別、年齢などで広告の表示内容を変えていたようですが、あれはGDPRが施行されているEUでは御法度ですし、日本も欧州委員会から十分性の認定（adequacy decision）はされているので、大丈夫かな？　と思いました。

また、コロナ禍以降、リモートワークが進む中で、従業員のパソコンの操作ログを収集し、業務の状況を可視化するソリューションが大々的に宣伝されています。これも、法律うんぬん以前にEUでは絶対に受け入れられないでしょう。たとえ従業員が同意をしたとしても、そもそも雇い入れる会社がその地位を利用して従業員に強要したという印象を受けるからです。

監視カメラに対して野放図なのも気になります。確かに犯罪の検挙率が高まるかもしれませんが、効果だけが先行してしまい、監視カメラの設置に関する法制度が整っていないように思います。

ドイツの場合、人が通るところに監視カメラを設置するためには届け出が必要です。また「ここで録画を行なっています」と、看板などで明示する義務もあります。さらに利用に関しても警察などによるチェックだけに限られ、一般の人々が映っているデータはすべて消去しなければなりません。

おわかりのとおり、プライバシーに関する捉え方は、ヨーロッパと日本では違うのです。日本はプライバシーをさほど問題視しておらず、街の防犯カメラや、Googleのストリートビューを作成するための全方位カメラを搭載したクルマが通行しても、あまり反応がない。しかし、ドイツでは旧東ドイツ時代のシュタージ（秘密警察である国家保安省の通称）が監視目的で日常的に行なってきた盗撮や盗聴などを想起させるため、市民は非常に強い拒否反応を示しました。

日本でもすでに街中には多数の防犯カメラが。

ほかにもドイツで印象に残っているのは、ＮＰＯ、民間団体、政府などによって市民向けのワークショップが、毎週のように細かい地区ごとに催されることです。こうした市民教育が、とても盛んです。開催されるテーマは「スマートフォンやパソコンなどの機器の使い方」から「スマートフォンを利用する際に、プライバシーやセキュリティに関してどんなリスクがあるのか」まで多岐にわたります。

参加する年代も、若者から高齢者まで幅広く、共通のテーマで意見を交わします。スマートフォンやパソコンなどの機器は現代生活で欠かせませんが、若い世代と高齢者ではリテラシーに違いが生じてしまう。生涯教育という言葉がありますが、「学ぶことは人生を豊かにする」という意識が根づいていて、世代間のリテラシーの差をできるだけ埋め、取り残されないようにするしくみが手厚くある。こうした社会教育の機会や、世代間が交流する文化などが日本でも広がれば、プライバシーへの理解は進むと思うんです。

今のようにプライバシーに関する責任の所在や利用方法など不明瞭な部分を明確にしないまま、行政手続きという個人情報を扱う分野のＤＸを進めても、プライバシーフレンドリーな施策になるとはいえないでしょう。

これはデジタルアイデンティティを考える前提の話なので、絶対に避けて通ることのできない分野です。ここを曖昧にしたままでは、欧、米、中国、どこ向けでも、中途半端になってしまいかねません。

日本文化にあったコミュニティ

もちろん、日本ならではの強みもあります。

私はヒントは、伝統文化にあると思います。日本に帰ってきてから、松岡正剛さんが座長を務める超編集プラットフォーム「ＡＩＤＡ」のボードメンバーとして参加し、江戸文化研究家の田中優子さん（法政大学名誉教授）とお話をする機会がありました。ここからのお話は、彼女の話と、私が京都に住んでいた１９９０年代後半、日本の「間」の文化を研究していた時の経験を織り交ぜたものです。

江戸時代には、多彩なタレントによる小規模なコミュニティが花開きました。後ほど触れる「連」「座」「社」「組」と呼ばれるものです。こういったコミュニティではそこに参加する個人が、それぞれに異なる名前（ＩＤ）を使い分け、多様な自分を表現するという「選択的自己表現」をしていました。

家というと、すぐに家族を連想するかもしれませんが、華道、茶道、香道などの生活芸能や各種の邦楽や舞踊など、家元制度を持つ芸道の分野では、「家」が中心となっています。ただし、「家」は血縁で結ばれたものではなく、どちらかというと能力主義。家元の技芸を習得した弟子、つまり実力のある者には、自分の流儀名の何文字かを与えていました。

今でも、落語や伝統芸能の世界では、先祖や師匠などの名を継ぐ襲名や名跡の継承を通じて、芸のスタイルや精神性を引き継いでいきます。これも家元制度に見られる「家」なんですね。組織としては家元を家父長とみなすピラミッド型のようですが、実態は必ずしもそうではなく、師範や名代という中間的な弟子が、さらにその下の弟子の面倒をみるというゆるいつながりで成り立っている。ここがおもしろいところです。

そして、「家」の外にあるのが、「連」「座」「社」「組」などで、さらにゆるいつながり。これらは能力や目的によって集ったコミュニティなんです。俳諧を生む場、そこに集まる人々のサロンを「連」と言います。これは、連なっていること、仲間として並んでいる様子を表わします。歌舞伎や人形浄瑠璃など興行を行なう場所、劇場のことを座元、これを「座」と言いますね。ひとつの仕事や、ある目的のために結成された集団は、結社、講、社中、会社、講社とか言います。これは「社」です。仲間同士の相互扶助の関係になった人々の一団が「組」。

ほかにも、小さなコミュニティはいくつもあり、めいめいに交流が生まれ、社交空間になった。文字どおりにソーシャルなつながりということです。そうやって、それぞれの場で、名前を持っていた。これって、現代のソーシャルメディアの中で、アカウントを使い分けている状態と変わりませんよね。

田中さんの研究から少し引用させていただくと、「連」は「適正規模を保っている」「宗匠（世話役）はいるが、強力なリーダーはいない」「お金が関わらない」「常に何かを創造している」「人や他のグループに開かれている」「多様で豊かな情報を受け取っている」「存続を目的としない」「人に同一化せず、人と無関係にもならない」という特質を持っているそうです。ほかにも、「多名である」「個人の中の複数の私」というデジタルアイデンティティの議論において非常に重要な点が挙げられていると思います。

なぜ、これが重要かというと、欧米由来の個人主義もうまく機能しているかといえば、必ずしもそうではないからです。

今、ウクライナで起きている戦争では、ソーシャルメディアが兵器となって、戦争を煽り立てています。あの紛争がきっかけで旧型の戦車やミサイルなどの兵器が在庫一掃処分みたいなことになっている。でも、今、この瞬間にも生身の人間が死んでいて、殺戮兵器を使うための「正義」は、ソーシャルメディアが形成している面は否めない。そういう現実があることは、受け止めるべきでしょう。

また江戸時代の話に戻りますが、当時大都市だった江戸の町ほど整った循環型社会はなかったし、江戸時代は性に関しても寛容だったところがある。今、言われているSDGsやDEI（Diversity, Equity & Inclusion）を先取りしていた社会を、私たちは作ることができていた。日本には自然と人間生活との適切な距離感である「間」の文化が生きていました。同時に異質なもの無理なくを共存させる「和」の努力があったわけです。

つまり、間をとらえて和となすという創造性だと思います。

だからこそ、現代の日本人が喪失しつつある「間」と「和」に焦点があり、日本の伝統的な美意識や文化の継承が困難に感じられる今日こそ、自覚的・意識的な方法で日本の伝統文化や芸能を読み解く試みが重要な意味を持つのです。ようするに、日本の未来を考えるヒントは、過去にあるともいえるのです。


私たちが使う日本語にもポテンシャルがあると思っています。今のところChatGPTは英語圏でのインパクトは大きい。ただし、ChatGPTが完成された日本語で社会に実装されるまでにはタイムラグがあるように思います。

日本は、古くから海外の文明を取り入れながら、独自の文化を形成してきました。文字を例にすると、漢字から万葉仮名を作り、さらにはひらがな、カタカナ、アルファベット、さらには絵文字など、様々な文字を組み合わせて言葉を操っている。世界的に見ても稀有な例ではないでしょうか。

また、発音でも、漢字を音読み、訓読みにしたり、アクセントでニュアンスが変わっていく。また、〝かえる〟は「買える」「飼える」のように同音異義語があり、さらには、どちらも「～が可能なこと」を言い表わします。「買える」は買い物をすることができる、「飼える」はペットなどを飼うことができる、というようにです。こういう微妙な日本語のニュアンスをＡＩが認識できるようになると、大きな変革が生まれてくる。逆に言うと、日本語のニュアンスまでＡＩが認識できるようになるのか。今のところはわかりません。

英語の場合も、もちろん難しいんですが、話者が多いので、その分大量のデータが集まりやすいですし、活用した時の市場も大きい。けれども、日本語は英語に比べるとデータ量も、マーケットサイズも違う。そこで間が生まれる。間とは、物理的な空間であり、時間、タイムラグです。間があることで、日本には文明が浸透しきらないし、その間に独自の文化が生まれる。そういう意味で日本語は参入障壁であると同時に、独自文化を生む孵卵器にもなる。ここがおもしろいですよね。

ChatGPTのようなＡＩの進化が速く日本語を理解できるようになるならば、広く浸透するでしょうが、日本語が壁になるならば、少しのタイムラグができるはず。その間に、日本文化に着想を得た独自のスタイルを作れれば、デジタルアイデンティティの世界でも、おもしろい仕掛けが作れるかもしれません。

「木と蜂」で考える官民連携

ドイツをはじめとしたヨーロッパでは、官と民の関係を「木と蜂」に例えて考えることがあります。「木」は機動力や創造性には欠けるものの、太い根を張り、幅広いネットワークと資金力、制度の根拠となる法律を作る立法権限、法を執行する官僚機構、つまり「行政組織」がある。「蜂」はフットワークが軽く創造性豊かで、イノベーションに向けて創発的に連携できる個人、スタートアップ、NPOなどです。

そして「木と蜂」とは、互いを必要とし、相互作用によって豊かな社会を形成しようとする。

20年ほど前はヨーロッパも官と民は対立的な関係にありました。しかし、ここ20年で、互いが互いを必要とする意識が醸成され、双方が制度上などの壁を取り払って相互理解に努めてきた結果、都市や国の発展には「木と蜂」のような「官と民」の連携が必要であり、両者が力を合わせるべきという考え方が現在ではスタンダードになっています。

ですが、日本はいまだに官と民の文化や考え方が大きく乖離していると感じています。服装ひとつをとっても、ダークスーツとネクタイの文化の行政と、自由なライフスタイルを特徴とするスタートアップとではあまりにも文化が異なります。互いが連携してDXを進めるならば、もっと本質的かつ根本的に官と民が、互いの文化の違いを理解し、尊重し合う努力が必要です。

どちらかといえば行政側が民間側の文化に柔軟に合わせていく配慮が必要でしょうね。官と民の溝を埋める努力をしないまま旗を振ろうとしても、結局動くのは民間なんですから。

また、官と民の溝を埋めるためには、従来とは違う分野や、若い世代の活用も視野に入れるといい。ドイツでは文化メディアを担当する国務大臣は、政治プロパーの人ではなく、アーティストのメディア連携などの仕事をしていました。こうしたユニークな人材を抜擢することで、アーティストのライフスタイルを理解できる人物が大臣を務めていて、行政の中でも世代交代が起きています。

日本でも、政治や行政の村社会以外の経験を持った人が入ることで、いろいろな視点を持つことができると思うので、参考にしてみたらいいと思います。

中世化する社会の中で求められる公共圏の再構築

Q．今後どんな点がポイントですか？

今、アカデミズムでは、中世研究が盛んで、モダン-ポストモダンの先はミドル（中世）ともいわれます。例えば、映画にもなった『薔薇の名前』で有名な記号学者のウンベルト・エーコは、1986年に『Travels in Hyperreality（ハイパーリアリティにおける旅）』というエッセイ集で、「中世への回帰（The Return of The Middle Ages）」という文章を発表します。そこでは、芸術や文化における中世趣味の広がりが、文献研究からわかる実際の姿とは違う「新しい中世」であることを示しました。

「新しい中世」は、『ロード・オブ・ザ・リング』や『ゲーム・オブ・スローンズ』など映画、ドラマ、ゲームなどでは枚挙にいとまがありません。それだけでなく、国際政治学でも「新しい中世」が指摘されるようになります。

近代の区切りはいろいろとありますが、近代国家を考える際は、初めての国際条約といわれるウェストファリア条約が一般的です。この条約でカトリックとプロテスタントが争った三十年戦争いわゆる宗教戦争が終結し、主権国家間の国際法による秩序が生まれたとされます。

その後、イギリスでは名誉革命や産業革命、フランスではフランス革命などが起きましたが、主権国家間で諸問題を解決する枠組みは、現在も続いています。けれど、デジタル社会では、国境も、国民も、徴税や法律のシステムも、揺るがされたり、脅かされたりしている。そして、人々は土地に縛られず、遊牧民のように居心地のよいところへ移動して、生活をしている。いわゆる「デジタルノマド」の誕生です。さらには、既成のシステムから脱出し、新たな地を求める現象は、旧約聖書のイスラエル人が神から約束された地を目指す出エジプト記（Exodus）になぞらえ、「デジタル・エクソダス」と呼ばれたりしています。

現在の「所有から利用」というシェアリングエコノミーも、近代の大量生産大量消費に対するアンチテーゼとして若者を中心に利用が進んでいます。オーナーシップからシエアリング、所有から利用に移っている様子は、「デジタル封建制」を思わせる様相です。近代社会であるにもかかわらず君主や領主のように振る舞う政治、行政、大企業、メディアなどのシステムと、それを利用するユーザーの構図は中世のようです。とはいえ、ユーザー（＝農奴）はとてもたくましくて、いつでも権力を脅かせるような元気な存在というふうに考えられるかもしれません。

デジタル技術のインパクトがモダン（近代）の行き詰まりをあぶり出し、近代システムの問題をどう解決するか、どう折り合いをつけるか、といった原動力になっていることは間違いありません。そこで浮き彫りになってきているのがデジタルアイデンティティの在り方なんだろうと思います。

ただし、繰り返すようですが、中世に戻っているからといって、紛争解決の手段として戦争などの暴力が使われることはあってはならないし、近代に至る過程で培ってきた倫理や道徳をリセットし、差別や偏見を助長するヘイトスピーチなどが蔓延することは喜ばしいことではありません。

やはり大切な公共圏

最後に、中世化する中で、近代を取り戻す動きも紹介しておきたいと思います。最初に、ソーシャルメディアによって「作家」のように表現できる人が爆発的に増えた一方で、「編集者」が不在、ということに触れました。編集者の役割は、非常に幅広く、ソーシャルメディアなどにおいては、編集の役割をＡＩのアルゴリズムが行なっています。しかし、これが最適解なのでしょうか。

ＥＵの執行機関である欧州委員会は、２０２２年9月に「欧州メディア自由法」案を採択しました。同法案は、「欧州民主主義行動計画」の流れで、ＥＵ域内のメディアの独立性と、多元性を保障する共通原則を定めることが狙い。その背景には、ハンガリーやポーランドなどで政府がメディアへ圧力を強めていることなどが伝えられますが、より根源的には、前述のユルゲン・ハーバーマスの影響がある、と私は見ています。彼は現在93歳ながら、『公共圏の構造転換』の新版を昨年発表しました。

同書は、公共圏を成立させる前提であったマスメディアが、20世紀にラジオやテレビなどの放送メディアの登場、そして資本主義の発展とともに企業により私物化され、市民社会の生活の場を植民地化することをいかに回避するかを問うものでした。

彼は、ドイツ語で「Spätkapitalismus」と呼ばれる資本主義（邦訳では、晩期資本主義、後期資本主義）において登場したデジタル化の波が古いルールを刷新し、新しい公共圏に貢献すると考えていました。

とはいえ、現在のメディアの状況はハーバーマスが求めたものとはかけ離れてしまいました。大手日刊紙の発行部数が激減し、人々はソーシャルメディアを主な情報源として使うようになっています。かつてはマスメディアの存在意義とされていた真実の追求や権力の監視というジャーナリズムの倫理は後景に退き、私たちが目にして

公共圏の新たな構造変化を説いたハーバーマスの新著

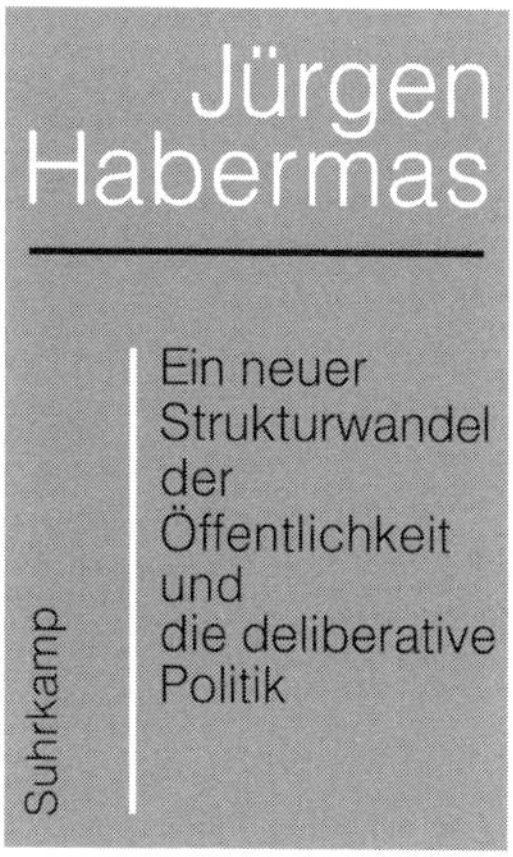

『A New Structural Transformation of the Public Sphere and Deliberative Politics』
Jürgen Habermas／（未邦訳）

いるのは、事実や発信者すら確認が困難な情報が氾濫する現実です。

ハーバーマスの新版の核は「古い」構造変化の決定的な推進力であった伝統的なマスメディアを衰退させた、新しいメディアと新しいメディアが持つプラットフォーム的性格、つまりシステムを詳細に扱った部分です。ハーバーマスは、新しいコミュニケーションの形態が、政治的な公共圏の自己認識にダメージを与えていることを仮定し、これが現在の公共圏の新たな構造変化であり、民主的な意見・意思形成の熟議過程に深刻な影響を与えている、と指摘します。また、ソーシャルメディアが「政治的公共領域における新たな構造転換」をもたらしたため、監督と規制を新たに行なう必要があり、人々がアクセス可能なオンラインテキストすべてについて、最低限の品質基準を要求しています。

ハーバーマスが一貫して提言してきたスタンスが、「欧州メディア自由法」案には色濃く表われています。いわば、ビッグテックによって占有されてしまった公共圏を再度構築し直し、熟議を可能にする場を市民に提供すること、これが整わなければ民主主義国家は、最も重要な基本的条件を失う恐れがある、と警鐘を鳴らしているのです。

デジタルアイデンティティを巡る議論を行なう際、なぜ官と民の間に公共圏が必要なのか。ここにも日本の「間」の文化的視点が求められていると感じます。つまり、公共圏とは異質なものとの間をとり、和とする仕組みだからです。ここで紹介したEUの動きや日本の伝統文化を創造的にとらえる視点などを、日本のアイデンティティ戦略として意識することが重要だと考えています。

現実世界を前提とした議論の限界と その先を行く仮想世界

岡嶋裕史（おかじま・ゆうし）

1972年東京都生まれ。中央大学大学院総合政策研究科博士後期課程修了。博士（総合政策）。富士総合研究所勤務、関東学院大学経済学部准教授・情報科学センター所長を経て、現在、中央大学国際情報学部教授。『ポスト・モバイル』（新潮新書）、『ハッカーの手口』（PHP新書）、『思考からの逃走』『実況! ビジネス力養成講義 プログラミング/システム』（以上、日本経済新聞出版）、『アップル、グーグル、マイクロソフト』『個人情報ダダ漏れです! 』『大学教授、発達障害の子を育てる』『メタバースとは何か』『Web3とは何か』（以上、光文社新書）など著書多数。

デジタルアイデンティティはすでに日常に遍在している

2021年頃からよく聞くようになったWeb3やメタバースは、デジタル社会の最先端のツールや考え方のキーワードとして注目されている。「ブロックチェーン」を使い、インターネット上に分散して公平にデータを管理することで、誰にもデータを独占させず皆が自由に参照できるような未来がやってくる……。

背景には、GAFAのようなビッグテックに個人情報を牛耳らせたくない、そこから敷衍して、データによって個人を不当に選別してほしくないという人々の意思がある。オンラインショップで買い物した履歴から病院の通院歴まで、すべてを把握され、個人情報と紐づけられ、自分の知らないところでお金に換わり、個人のラベリングに使われているが、それは不公平であるというわけだ。

しかし、その不公平さに対して、新しい民主的で公平なサービスが登場してきたところで、一般人である我々は使いこなせるのか？　どのように利用するかというイメージが湧かないし、現状で何か具体的な不利益を被っているわけでもない。既存のサービスを使い続けたところで害があるとは思えないという人も一定数いるはずだ。

また今後、メタバースやＤＡＯ上で実在するかもわからない「人」と一緒に働いたり、取引したりすることにリスクはないのか？

新しい技術が生まれると同時にこのような新しい問題も次々と生まれてくる。

本章ではデジタル化に必要な技術要素であるネットワークやセキュリティのスペシャリストとして、１９９０年代のインターネット黎明期から研究を続けている岡嶋裕史さんに話を伺った。岡嶋さんは『Ｗｅｂ３とは何か～ＮＦＴ、ブロックチェーン、メタバース～』『メタバースとは何か　ネット上の「もう一つの世界」』（いずれも光文社新書）という2冊の本で、バズワードとしてもてはやされるＷｅｂ３やメタバースを研究者として中立の視点から論じている。働く場所がリアルだけではなくなりつつある今、我々が直面するであろうアイデンティティの課題や社会変化の行方を解説していただいた。

デジタル空間では「私を私だと証明すること」が現実世界より難しい

Q. デジタルアイデンティティと聞いて、まずどんなことを思い浮かべますか?

「私を私だと証明する」というのは一見簡単なことのように思えます。何を今さらと思うかもしれません。しかし、GmailでもTwitterでもInstagramでも、複数のアカウントを作って、様々なキャラを演じ分けている人もいると思います。アカウント名が本名だからといって安易に信じてはいけないし、悪意のある人になりすまされて、犯罪の被害を受けることだってあり得ます。

デジタル空間では顔はおろか、素性も知らない人とコミュニケーションするシーンがすでに多くあります。そのため、自分が自分であると証明することは、社会のデジタル化が進むにつれて、重要度が増していくでしょう。とりわけ個人間の取引を行なうシーンでは、自分であるという証明、本人確認ができているという信頼感がよりどころになるはずです。

「アイデンティティ」という言葉は幅広く使われていますが、デジタル化が進む中で複数の意味で使われてしまっていると思います。具体的には、デジタル空間での「本人確認」やそれに使う機能、アカウントの持ち主やアバターの人格を表わす「属性」のことの両方でアイデンティティという言葉が使われることが多いです。

人によって理解のされ方が違うので、まず言葉の定義をしっかり押さえておきましょう。アイデンティティという言葉には以下の3つの意味が含まれていると思います。まず、このことを前提知識として頭に入れてください。

①エンティティ：人や物などを個別に見た時の「実体」のこと。

②アイデンティティ：エンティティが持つ「属性」のこと。

例：このコンピュータのエンティティには、Windows というアイデンティティ（属性）がある。

例：私の人間としてのエンティティには、炭水化物が大好きで50代の大学教授であるというアイデンティティ（属性）がある。

③クレデンシャル：「認証情報」のこと。コンピュータやSNSのログインに使用し、そのアカウントや保有者（エンティティ）が本人と証明できる情報、アイデンティティの一部。

一般的には「アイデンティティ」と「クレデンシャル」をごちゃ混ぜに使っている人が多いと思います。ですが、アイデンティティは、人や物、デジタル空間だとアバターなどが持つ特徴を示すための「属性」だと理解すると良いでしょう。その中でそのエンティティが確かに本物だと証明するのに使える情報が「クレデンシャル」です。

アイデンティティの構成と言われる３つの要素

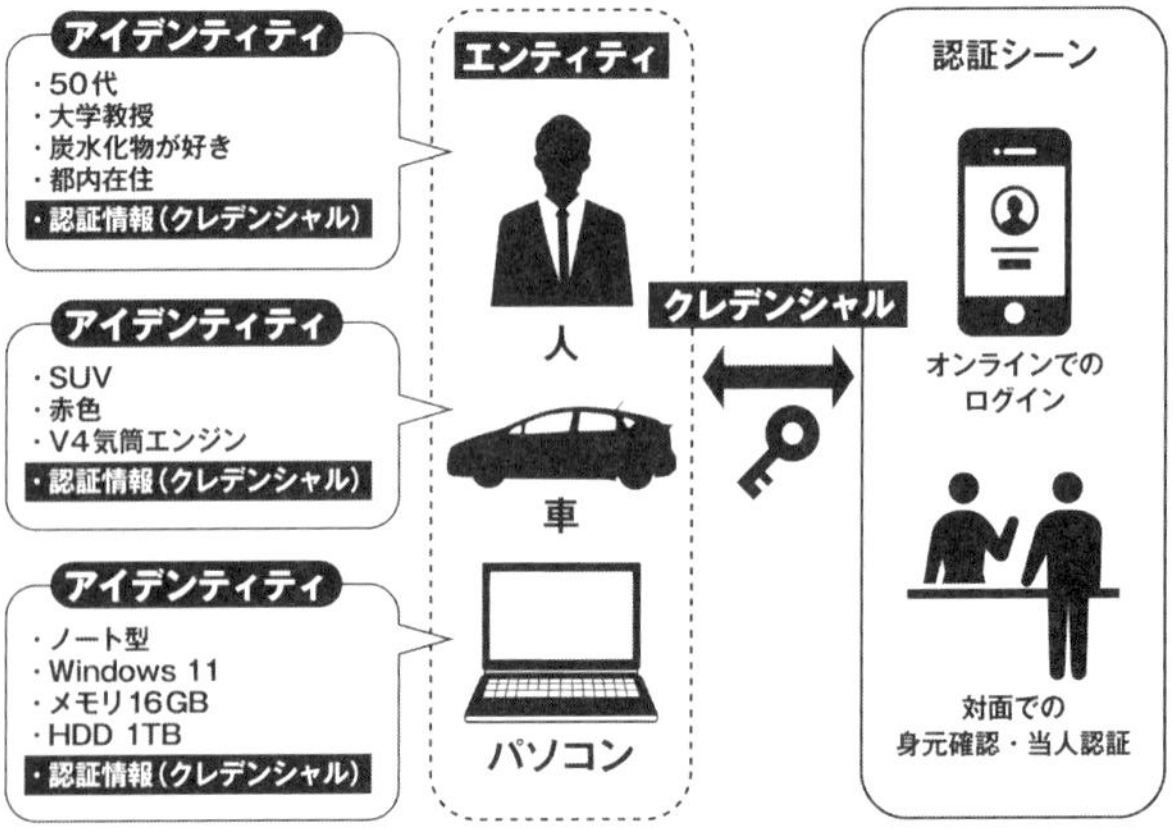

人や車、パソコンなどの実体を持つものを総じて「エンティティ」という。これらの性質を具体的に表す情報、例えば50代の大学教授で、炭水化物が好きで、都内に住んでいるなどが「アイデンティティ」だ。このアイデンティティの中にあるWebサービスのログインや決済で使うIDやパスワード、リアルなものでは免許証など本人であると示す情報を「クレデンシャル」という。

よく「IDカード」という個人を識別するためのカードがありますが、「Identity Document」とくくられるものです。日本語にすると身分証明という意味がありますが、身分を証明できる属性情報という意味で「Identity（アイデンティティ）」という言葉が含まれています。本人確認や決済などのシーンでは、この「クレデンシャル」の意味でのアイデンティティが最も使われるのではないでしょうか。

アイデンティティ管理には大きく3つの種類がある

アイデンティティ管理のやり方は、①集中型アイデンティティ管理、②分散型アイデンティティ管理、③自己主権型アイデンティティ管理の3つに分類することができます。

①の集中型アイデンティティ管理は、よくディストピアとしての管理社会で語られます。1つの主体（大企業とか政府とか）がすべてのアイデンティティ情報を集約して管理する形態です。1箇所に情報が集まっていると管理する側は猛烈に便利ですが、自分のすべての情報を1つの組織が握っているなんて、ちょっと恐ろしいですよね。悪用されても、事故になっても、影響が大きそうです。一方で、利用者視点から見てもメリッ

トがあります。利用者IDやパスワードは1組だけ覚えておけばいいですし、集約した情報を使って病気の予兆や年金のもらいっぱぐれを見つけてもらえるかもしれません。

②の分散型アイデンティティ管理は、現時点での実社会をイメージしていただくと良いと思います。ある組織にログインする時と、別の組織にログインする時で別々の利用者IDとパスワード、生体認証、あるいはその組み合わせを覚えておいたり、実施したりしないといけません。個々の組織ごとにアイデンティティ情報が管理されているので、それが使える範囲が限られており、別の会社のサービスを利用する時には本人確認をやり直しているわけです。そこだけ取り上げると面倒で、かつ情報から得られる知見も制限されますが、ある企業が知っている自分と、別の企業が知っている自分は別の顔をしていて、ある企業にダメ出しされても、別の企業のサービスは継続して受けられるかもしれません。不便さゆえの情報の利用範囲の限定といった利点もあるわけです。不便さを解消するために、個々の企業同士が連携を行なうこともあります。

③の自己主権型アイデンティティ管理は、IDなどの認証のための情報を利用者自らが作り運用していく形です。①は政府にダメ出しされたらもうアカウントが作れないかもしれません。②はそれよりはマシですが、サービスのアカウントというデジタル社会

での生命線を誰かに握られている点では同じです。③はこれを自分で作る発想です。情報の管理権を自分に取り戻す意味では優れたやり方ですが、個人にとっては管理負担が重いことや、自分が発行したアカウントを誰が信じてくれるのか、事故時の責任は誰に帰属するのかといった問題があり、普及には至っていません。

デジタル空間での本人確認は大切であると言いましたが、そもそも現実世界でも本人確認は無意識なものも含め、至るところで行なっていますよね。例えば銀行口座を開設する時は、銀行の窓口の担当者に免許証を見せれば本人だと信頼してもらえます。一方、デジタル空間では免許証の画像を見せただけだと信頼してもらえません。本人と免許証を一緒に写したとしてもその画像が盗まれたものだとしたら、なりすまされているだけで、本人とはいえません。

またインターネットバンキングやＳＮＳで使うＩＤとパスワードは、盗まれやすいですし、盗まれたところで気づきにくい。知らず知らずのうちに盗まれているということが多々起こります。実は現実世界より証明が難しく、漏洩したら止めるのが難しいのがデジタル空間の「本人確認」の特徴といえるでしょう。

デジタル空間と現実世界では「発行元の信頼」についても違いがあります。

現実世界での本人確認には、免許証や学生証など何かしらの信頼がある機関が発行している書類を用います。免許証を発行する公安委員会や、学生証を発行する学校はそれぞれ一定の信頼を得ている機関です。マイナンバーカードなども公権力が信頼性を裏づけているので第三者が信頼しやすく、本人確認用のツールとして機能しています。

それがデジタル空間だとどうでしょうか。実は一番力を持っているのはGoogleではないでしょうか。確かにデジタル空間でも、本人確認をするのに公権力を持つ機関が発行した書類が必要なケースは多いですし、使ったほうがいい。銀行口座のオンライン開設だとむしろGoogleでのログイン情報は無意味です。

しかし、星の数ほどあるデジタル空間上のサービスのＩＤとパスワードなどを管理するのにGoogleアカウントが一番使われています。ChromeブラウザーにＩＤとパスワードを保存しておくと入力を補完してくれますし、そもそも自分でＩＤを発行しなくてもGoogleアカウントを利用することもできます。サービスの提供者からすればGoogle経由での本人確認を行なうことで、ゼロから認証機能を開発する手間も省いてくれます。決済も同様で、GoogleやAmazonなどは代行してくれていますよね。いちいちパスワードを覚える手間も入力する手間もなく、便利ですし、ある意味非常に合理的です。

人間の意思決定とＡＩの意思決定のどちらに従うのが正しいのか？

Q．Googleの機能を使えばすでに便利なのに、なぜＷｅｂ３が求められるのでしょうか？

前提として、一極集中の利便性や効率性とデータによる不当な選別のトレードオフがあります。この考え方には、人それぞれの尺度があるというのを念頭に置いたうえで聞いてください。

今のデジタル空間では情報の管理はGoogleにまとめておいたほうが便利に違いありません。一方で、情報はGoogleに一極集中していること、情報を与えていることを良しとしない人たちもいます。自分の情報やアイデンティティの情報を一元的にGoogleに管理してもらうと、行動データと紐づけられて、自分の気づかないところでマーケティングなどに活用されているのではないか？　自分のデータを勝手に使って、それをお金に換えているなんて、データによる個人の不当な選別だし金銭的な搾取でもある、というわけです。もちろん、その対価としてGoogleのほとんどのサービスが無料で使えているという面も無視できません。

サービス利用によってあらゆる自分の生活の情報が記録されていくと、いつまで生きられるかとか、警察に捕まる確率がどの程度あるか、といった未来予測まで精緻にできるようになります。そうなると、それらの情報をもとに、生命保険料が決まったり、会社の内定が取り消されたりなどの効果や影響があります。自分が便利に感じるならばいいのですが、善悪様々な予測ができてしまい、不安を感じながら生きないといけないリスクもあるでしょう。

反発する人は、「一般大衆は、このような情報を名寄せして集約されてしまうリスクを正しく認識できていない』として、問題提起しているのです。

先ほど「トレードオフ」と述べましたが、現実世界のデータ管理を考えると、学校、保険会社、銀行、旅行代理店……と様々なところで情報管理がされているため、情報を横串で収集・分析することの難易度が高くなっています。集中管理しきれていない分、利用者に不便さが残りますが、すべての情報が集まっていないため、自分のアイデンティティ情報を使って何らかの選別が行なわれてしまうことが起こりにくいという安心感があるのです。そう考えると現実は「非集中型のアイデンティティ管理」と言えるでしょう。

ただ、人間は基本的に面倒くさがりな生き物です。そして大事な選択をする時は、いろいろな人の意見を聞きたいと思うし、決められない時は信頼できる人の意見に従いたいというシーンは往々にしてあると思います。

それを念頭に置いたうえで、もし一定の水準以上にＡＩが進化したらどうなるか？客観的事実に基づいて正確な判断をしてくれる（と利用者が期待する）ＡＩの判断のほうが人の判断より尊重される時代になるかもしれません。非集中型のアイデンティティ管理を維持したり、ブロックチェーンを使った自己主権型のアイデンティティのしくみを作って、ＧＡＦＡに情報を集約させないように努力しても、自分が手にした情報を管理するのは自分自身ではなくＡＩである、というのは蓋然性の高いシナリオです。

すると、結局権力がＧＡＦＡからＡＩに移動しただけ、という味方もできます。力を手にするはずだった自分は素通しです。私はこれを「権力の非人称化」と呼んでいます。システムが権力を持つのです。

すでに今でも何か意思決定する時には必ずと言っていいほどネットで情報収集しますよね。ひょっとしたらシステムがバイアスをかけたかもしれない情報に基づいて、私たちはすでに意志決定している可能性もあるわけです。さらに、物心ついた時からデジタルツールに触れ、自然とＡＩの判断を受け入れている10～20代前半の「デジタルネイティブ世代」は、情報収集だけでなく判断そのものをＡＩに任せるかもしれません。授業中でも我々のような教員が述べた知識をGoogleやWikipediaで再確認するのは当たり前で（それ自体は素晴らしいことです）、時に曖昧な人の知識や記憶よりも確実にネットを信頼しています。

自分の行動の最適化・最効率化を考えた時に、何を信頼すると最もタイムパフォーマンスがいいかを評価した結果なのでしょう。そして彼らが社会の中心で活躍するようになると、技術の進歩と足並みがそろう形で、ビジネスからプライベートまで、あらゆるシーンでＡＩを使いこなす、あるいは依存する世界となっているはずです。既存の発想に囚われない意味では非常に良いことだと考えますが、ちょっとネットの集合知やＡＩ

を信じすぎている気もします。ＡＩの限界を正しく伝えていくことも重要です。

Ｗｅｂ３の中核技術である「ブロックチェーン」は記録システムにすぎない

データを独占させずに、民主的に利活用するためにはどうしたらよいか？　その理想を実現しようと注目されているインターネット上のしくみや考え方がＷｅｂ３です。技術的な背景としては「ブロックチェーン」が使われています。ブロックチェーンは仮想通貨（暗号資産）を筆頭に、様々な分野ですでにおなじみだと思います。

ブロックチェーンは、不特定多数の人が皆でデータを保持し合い、検証し合うしくみです。誰かが中央集権的にデータを管理するのではなく、データの保持や検証に参加している人はもちろん、そのネットワークに接続した人なら誰でも記録したデータを表示することができます。透明性が高く、データが独占されない民主的なしくみであるし、仮にデータを勝手に書き換えたとしても、多くの人の目によって即座に検知できる。Googleをはじめ、データを独占して利用する企業を排除した新しいしくみが作れるのがポイントです。

情報をGoogleにまとめておくのはよくないと考える人たちが注目しているのもわかる気がします。しかし、我々全員にメリットがあり、安心して便利に利用できそうかというと、実は一筋縄ではいきません。

私自身、Ｗｅｂ３と呼ばれるものの中でＤＡＯというしくみに参加したりＮＦＴというトークンを購入したりしています。新しいしくみが好きなので、Ｗｅｂ３のようなものが登場するとワクワクしますが、一方でＷｅｂ３の取り上げられ方には危うさも感じています。民主主義的な世界では、中央管理者が存在しないのは理想形かもしれません。ブロックチェーンはシステムとプロトコルが作る民主的なしくみでそれを担保しようとしているわけです。しかし、経済学でアダム・スミスが論じた「神の見えざる手」のように、参加者が自己利益を追求すれば最終的に適切な資源配分になる可能性はほとんどないと思っています。ブロックチェーンは不特定多数の自己利益追求がセキュリティを高める点で革新的ですが、資源配分の最適は達成できていないと思います。わかりやすいのが仮想通貨の価格推移です。短期的に極めて大きく価格が上下し、株や、リスクが大きいといわれている為替のＦＸ取引よりも値動きが激しいです。おびただしい環境負荷を与えもします。

既存の金融システムでも一時的に値動きが大きくなりますが、政府や中央銀行が介入することで、想定外の値動きを最小限に食い止め、市場を安定させようと努めています。

中央管理者が存在しないブロックチェーンの世界では、このような介入をするのが難しく、実際に民意だけに任せると歪な状態になってしまっています。また、現実的には特定の利害関係者が作為的に行動して、理想とはまるで違う状態を作れてしまうともいえます。

Web3に夢を見すぎてはいけない

Q．なぜブロックチェーンにアイデンティティ情報を記録しても便利に使えないのですか？

便利に使えるのはITリテラシーが高い、一部の人だけだといえます。ブロックチェーンが、GAFAのアンチテーゼになるかのように思われるかもしれませんが、それは間違いです。ブロックチェーンそのものは、あくまでデータを記録して皆で参照できるようにした仕組みでしかありません。

ピュアなブロックチェーンには中央で管理してくれる人がいないので、ブロックチェーンのネットワークへの接続から何から自分でやることが求められます。そのスキルがある利用者は決して多くないはずです。すると、ブロックチェーン接続代行事業者が現われ、多くの一般利用者はそういった事業者を通じてブロックチェーンに接続するようになるでしょう。

ブロックチェーンがいくら透明、公平、安全でも、一般のネットワークとの接点であるブロックチェーン接続代行事業者がミスをすれば事故が起きますし、権力がGoogleからブロックチェーン接続代行事業者に移動しただけという状態にもなりかねません。

仮に、誰でも手軽にブロックチェーンにアイデンティティ情報を記録したり、それを取り出したりして様々なサービスと連携してくれるＩＴソリューションが開発されたとします。

民主的なしくみであるブロックチェーンにデータを記録できるし、面倒なブロックチェーンの運用を代わりにやってくれるのは便利だと言えます。それを開発した企業がユーザーを集めて利用してもらうわけなのですが、システムの主要部分はブロックチェーンの外側で稼働していることになります。複雑なシステムのすべてをブロックチェーン上で動かすことは、ブロックチェーンの特性上できません。すると、データを記録する基盤がブロックチェーンに置き換わっただけで、やっていることは今と変わらないことに気づきます。ブロックチェーンはデータを記録する入れ物なので、データを入力する人や組織、システムが信用できなければ、いくら書き込んだデータが改ざんできないといっても意味がありません。さらにブロックチェーン内で演算を行なうスマートコントラクトは、あまり複雑なことはできないのです。

ビットコインやイーサリアムが成功しているのはブロックチェーンの中に閉じたしくみだからで、これをドルに換えたりする（＝ブロックチェーン外とやり取りする）際には事故も起きています。まして、現実のビジネスとブロックチェーンをリンクさせるのは、なかなかの難事業です。

認証について言及すると、ブロックチェーン自身や世界中の不特定多数の人に、「これは確かに岡嶋さんだ」と認めてもらうことはすごく難しいです。本人確認というのは、その人を知っている周囲の人や、権威的に情報を集積している公的な役所のような存在があって初めて機能するものなので。したがって、ブロックチェーンを使って、どんな権威にも頼らず、1人1人が自己主権型のアイデンティティを主張するのはおもしろく、かつ重要な取り組みではあるけれど、困難だ、というのが私の見方です。

一般利用者の視点に立つと、何かしら中央で管理してくれるよりどころに情報を提供することで、面倒なことを肩代わりしてもらっている、つまり利便性と交換しているのです。勘違いしてほしくないのは、中央に情報を提供・集積すること自体が即、〝悪〟になるわけではないということです。実際、集めると中央側にも利用者側にもメリットがあるから、情報の集積が進められてきたわけです。ただ、中央が悪さをしやすくなるのは事実で、だから分散させよう、ブロックチェーンだとなるわけですが、中央に情報を集積したまま、第三者監査を入れて中央が悪さをしないよう牽制するといったやり方もあるので、自分の情報を守るにはブロックチェーンしかない、といった極端な理解をしないことをおすすめします。

自分の情報をどの会社にも預けたくないけど、自己主権的に記録できるブロックチェーンを操作するスキルもないと思う場合は、やっぱり会社に預ける、でもその会社を信頼できるしくみを考える、といった選択肢もあるということです。

Ｗｅｂ３は、その基盤部分にブロックチェーンを使いますが、ブロックチェーンへのデータ入出力を直接行なえるスキルを持つ人は少数にとどまります。大多数の人たちは、企業が開発したアプリケーションを通じてブロックチェーンに対してデータ入出力をすることになります。すると、この企業には利用者のデータが集まることになりますし、そのデータをマーケティングや広告に活用したら、やっていることはＧＡＦＡと同じになるというわけです。

そうなると「Ｗｅｂ３の理想」という皮をかぶった営利企業に、まんまと利用されてしまいかねません。私がＷｅｂ３に夢を見すぎないようにと言うのは、このような事情があるからです。Ｗｅｂ３の理想は貴重なものですが、実装面では困難が多々あり、おそらくはＷｅｂ３の「ガワ」をまとった既存システムが数多く登場することになります。

結局は第２のＧＡＦＡを生むだけ

Ｑ．ビットコインなどの仮想通貨は成功していると思うのですが、本人確認ではうまく

いかないのでしょうか？

ブロックチェーンと聞くと、ビットコインに代表される仮想通貨を思い浮かべる人も多いでしょう。過去10年で価格は何十倍、何百倍にも膨らみ、莫大な資産形成ができた人も少なくありません。

そう考えると、ビットコインはブロックチェーンのソリューションとしてうまくいっているじゃないかと考えるのは自然です。ですが、アイデンティティやクレデンシャルを同じしくみで管理すればうまくいくのでしょうか。

残念ながら、うまくいかないと思います。なぜなら、ビットコインの場合はデータを保持したり検証したりするインセンティブがあるんです。ブロックチェーンに取引データを追記するためには、みんなで検証し合う必要があり、最初に検証が完了した人にビットコインが報酬としてもらえるしくみになっています。金銭的な対価を見い出せるので、皆でデータを保持しよう、検証しようという動機づけになり、成功しているといえるでしょう。

また、ビットコインがブロックチェーン内だけで完結する仮想通貨であることも重要な要素です。

では、アイデンティティやクレデンシャルだとどうでしょうか。これらの情報を保持し、検証した時にもらえる報酬は何でしょう？　まさか私の免許証の切れ端がもらえますと言って、意気揚々とデータ検証を行なう人はいないでしょう（笑）。データを保持し検証する対価が何もないのが、ビットコインと違うところです。また、検証する人がごく少数に留まれば、少ない人数で選挙をするようなもので、不正を行なえる余地が大きくなります。ブロックチェーンの透明性や公平性は不特定多数が参加していることが前提なのです。さらに、公的に必要なしくみだから、政府が金銭的なインセンティブのスポンサーになりますと言えば、Ｗｅｂ３の理想とは違ったものになります。普及に成功したとしても、もともとの理念は失われるでしょう。

実際の仮想通貨の使われ方を考えてみましょう。日本のように中央銀行が金融システムをきちんと確立してほとんどの国民がそれにアクセスできており、各金融機関の監査なども行なわれている地域では、仮想通貨の必要性は高くありません。そのため、投機の対象として機能しているわけです。一方、紛争地帯でそもそもアイデンティティすらうまく保持できず、金融機関へアクセスしにくい状況や、政府や金融機関の不正が横行しているような地域では、仮想通貨は有効だと考えています。

例えば、仮想通貨を管理するのに「ウォレット」というブロックチェーンの情報にアクセスするための電子的な財布機能を使っている利用者が多いのですが、この中には自己主権的な情報管理ができるものがあるので、アイデンティティ情報の管理にも応用することが可能でしょう。ウォレットの中に仮想通貨の残高情報だけでなく、様々なサービスにアクセスするためのＩＤやパスワード、電子証明書の情報を保管しておけば、自己主権型アイデンティティに一歩近づけるかもしれません。ただし、自己主権型にするとアイデンティティやクレデンシャルを失った時に、「誰か偉い人に頼み込んで、パスワードを回復してもらう」といった手段ができない（偉い人はいない）点は、ここまでお話してきた通りです。

ブロックチェーンに付きまとう「オラクル問題」

データを管理する入れ物にすぎないブロックチェーンには、「オラクル問題」という課題が存在します。

ブロックチェーンの視点に立った時、ブロックチェーンに記録するデータはどこから来て、また、そのデータは信頼できるのか？　偽の情報ではないのか？　という問題です。

「オラクル」とは神託のことです。ブロックチェーンはその内部、すなわち自分自身のことはわかりますし、不特定多数による検証によってデータの真正性を維持しています。しかし、ビジネスなどに使うにはブロックチェーンの外側にあるデータを取り込んでくる必要が生じます。

ブロックチェーンのオラクル問題

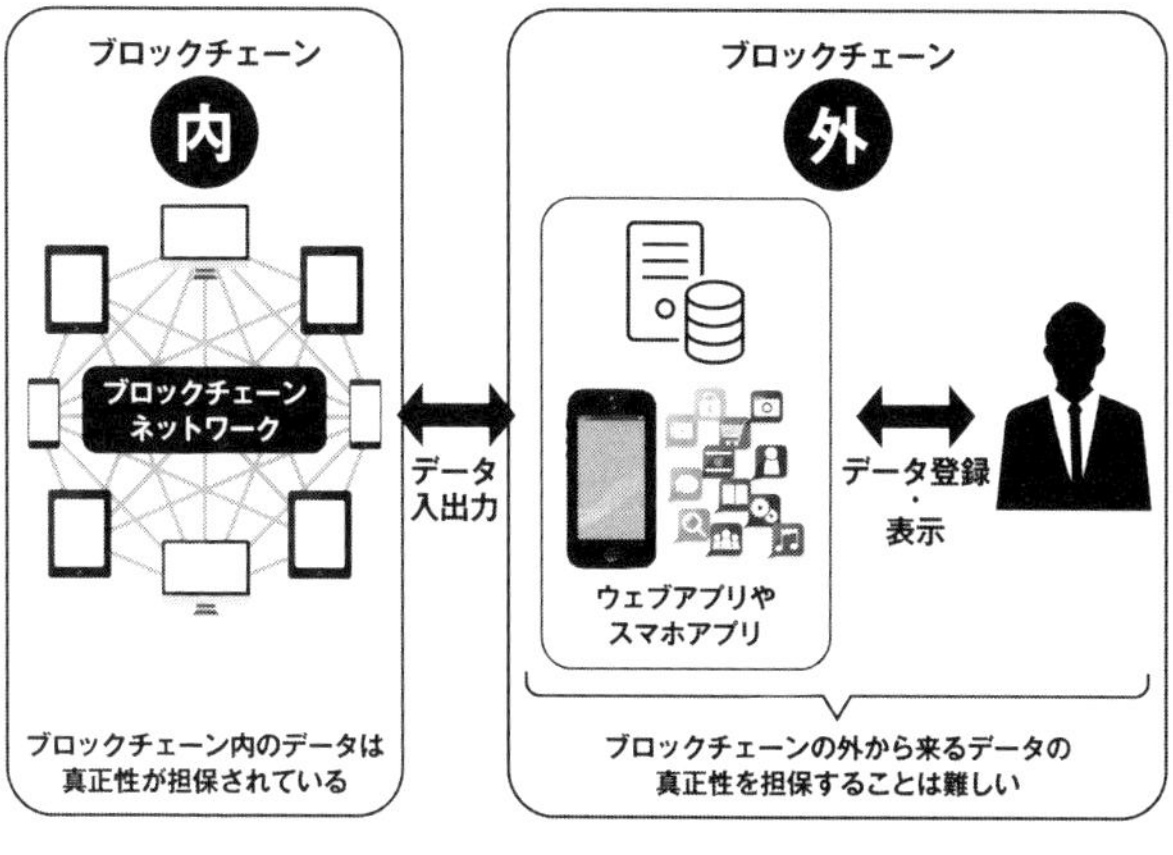

ブロックチェーン側にはそれが間違っていないのか、改ざんされていないのかを確認するすべがないため、ある意味神託のようにそのまま受け取るしかないのです。

ここにブロックチェーンの二律背反があります。ブロックチェーンとそのリブランドであるWeb3の基本理念は「他人を信頼しない」ですが、外部からやってきたデータは信頼するしかありません。

すると、「個人が書き込んだデータだから信頼できない」「大企業が書き込んだデータだから、きっと信頼に値する」といった選別が起こり、結局今と変わらない状況が現出すると言えます。

ピンとこなければ、仮想通貨の流出事故を思い出してください。

ブロックチェーンが極めて安全なしくみであれば、ちょくちょく事故が起こっているのは不思議です。ブロックチェーンとそれ以外のシステムや現実社会の接点で事故が起こっているわけです。

接点の多くは取引所で、事故が起こると責任者が頭を下げています。「偉い人が存在しないブロックチェーン」で責任者が出てくる理由はこれです。

生活の中心は現実世界であるという前提はいつまで続くのか？

Q．自分の個人情報の出し先を選べて、報酬がもらえる「情報銀行」のようなしくみで様々なアイデンティティを管理することはできないでしょうか？

２０１９年くらいに注目を浴びた「情報銀行」ですが、最近このキーワードを聞かなくなりましたね。情報銀行とは自分の個人情報を預けておいて、自分の運用方針にしたがって、情報を渡す相手、渡さない相手を選べるしくみです。本来、自分でやる（＝Ｗｅｂ３の理想）のがいいのかもしれませんが、時間や知識や機材がない人にとっては信頼できる情報銀行に預けて運用してもらうほうが現実的です。お金を銀行に預けて運用してもらうのと、考え方は一緒ですね。

場合によっては情報を提供すると対価がもらえることもあるので、新しい個人情報管理のやり方であるとともに、ＧＡＦＡのような企業が情報を独り占めして利益を上げていたところに切り込み、公平に利益を分配できるしくみでもあります。

ただ、今のところ普及しているとは言いがたい状況です。もともと利潤を主目的に据えたしくみではないので、提供した情報の対価はわずかばかりです。では、アイデンティティ管理が圧倒的に便利になるかと言えば、その辺は後から参入した情報銀行よりＧＡＦＡのような企業のほうが数枚上手です。

社会のデジタル化のスピードは想像以上に速いので、Ｗｅｂ３の考え方や、それに関連する技術があっという間に広がるのではと考える人もいるかもしれません。実際、Ｗｅｂ３を冠するシステムは普及が進むかもしれませんが、先に述べたように内実はＷｅｂ３的でないシステムが横行するでしょう。また、システムがまとう考え方や理想が社会に受け入れられ、定着するには長い時間がかかります。

情報銀行のようなしくみは、理念が受け入れられないと多くの人は使い始めないので、普及の速度はゆっくりでしょう。マイナンバーカードを枚数だけは配っても、結局はいぶかしんであまり使わない、生活には溶け込んでこないのと一緒です。

一方、コロナ禍をトリガーにオンライン上、仮想世界上でコミュニケーションを取る機会が爆発的に増えました。コロナが時計の針を進めたといっていいでしょう。私が教鞭をとる大学でも数年前ではあり得ませんでしたが、オンラインでの授業が当たり前になりました。またコロナ禍中に、ちょうど高校生や大学生として過ごした10代の人の中には、先生や同級生と現実にほとんど顔を合わせたことがないという人もいるでしょう。

メタバースと呼ばれる仮想世界の空間では、自分の分身であるアバターを作って、そのアバターを軸に、様々な人とコミュニケーションができるようになっています。あたかも学校や職場にいるかのように振る舞い、仕事や学習を行なうことができてしまいます。仮想世界でも十分に社会が動く状態になっている一方、肉体や発想の中心はまだ現実世界であることのギャップが今後本格化するでしょう。

一般的には、デジタル空間で行なわれる活動は、まだまだ「本物ではない」イメージがふつうでしょう。

Zoomなどを使ったオンラインの会議は電話の延長線上にとらえることができ、人々に受け入れられやすいですが、アバターを使ったメタバースでの会議になると玩具感を覚える人が多く、まして現実世界を超越して仮想世界が経済活動の中心になるという考え方は、一般的に受け入れられてはいません。今は、もしも仮想世界で現実とは別のアイデンティティが発生するならば、それをどう処理しようか、という思考実験をしている段階です。これが実現するならば、情報銀行の価値は高まるかもしれません。

コロナ禍になる前から、我々は様々なSNSを利用していますが、TwitterでもInstagramでもある程度の匿名性が確保できるSNSではアカウントをたくさん作って、それぞれのキャラを演じている人も多いでしょう。複数のアカウントでキャラを使い分けている人は、そのキャラによって言葉遣いや考え方すら変えていたりすると思います。ただ、これらはアカウントの作成者の中で動いているので、一義的には現実世界の人が持つアイデンティティをベースとした要素であると考えられます。

また炎上したりキャラづくりに失敗したりした時は、そのアカウントを削除し、〝転生〟して新たに作り直すことが気軽にできます。

例えば今後、仮想世界の比重が増してアバターによるコミュニケーションが一般化すると、それをアイデンティティの一要素と言えなくなるかもしれません。人間というエンティティにアバターやアカウントというアイデンティティが紐づくのではなく、アバターがエンティティそのものになる世界観です。

また、映像表現が高度化し、ゲームのNPC（Non Player Character）の振る舞いなどもそれに応じて高度化させねばバランスが悪くなった結果、NPCがまるで感情を持っているかのように見えてしまう事例が出てきています。ゲームの登場人物だからといってNPCを気軽に射殺してはいけないといった議論を始めている人もいます。

こうした新しい存在をどう受け入れていくのか、彼らに人間と同じアイデンティティを認めていくのかといった課題も乗り越えていかねばならないでしょう。

よき「デジタルビーイング」はどうあるべきか？

Q. デジタルアイデンティティを使いこなすために乗り越えなければならない課題は何ですか？

大きな課題は「法の完全執行問題」です。現実世界では毎日、大小様々な犯罪が起きているわけですが、ちょっとした軽犯罪を全て捕まえることはできないですし、すべきでもないでしょう。軽犯罪法を厳密に適用していたら、かなりの人が犯罪者になってしまいます。法の中でも、本来の目的を逸脱して濫用はしてはならないと定められています。

何でもかんでも法令違反だと指摘しているようでは、ギスギスして息苦しい社会になってしまいますよね。逆に言えば、現実世界では、グレーゾーンのものをあやふやにしておく知恵が働いていると言えます。

ではデジタル社会ではどうでしょうか。調べようと思えば、インターネットを使って地の果てまで調べることができますし、記録が残っています。デジタル空間に記録されたデータが自分の知らないところで流通してしまえば、誤って流通した情報や虚偽の情報を自分の手の届く範囲で消したとしても、それ以外のところでは未来永劫残り続けてしまうかもしれません。その情報を見た第三者が「犯罪だ」として告発すれば、記録も残っているし、投稿した人を特定することも難しくないので、追跡することが可能です。例えば、全体の文脈を見れば問題のない情報でも、一部分だけが流通して「これは許せない」と解釈されることはよくあるわけです。現実世界であれば、仮にそう思われたとしてもおいそれと殴りに行ったり通報したりするものではありませんが、仮想世界ではこうした行動を取るコストはとても小さいのです。つまり、法の完全執行への道が開けるわけで、法律が作られた当初には想定もしていなかった運用のされ方をする可能性があります。

またコミュニティ内がひとつの言説で埋め尽くされた時には反論ができなくなるので、人をつぶしやすいというのもデジタル社会の特徴です。例えばTwitterに、車が故障してしまったのでやむなく駐車禁止エリアに車を止めたと投稿した著名人がいたとします。その人に対して「駐車禁止エリアに車を駐車するとは何事だ」という返信が数千、数万と付いた場合には、その違反行為だけが社会全体から注目されてしまい、当人の過失の程度にかかわらず、駐車禁止エリアに堂々と車を止める悪い奴というレッテルが貼られてしまうかもしれません。

救済措置も反論の余地もないのが現状ですし、明確な解決策もありません。仮想世界でのアイデンティティを捨ててしまうのは1つの解です。でも、例えばそのアカウントで多くの映画や楽曲を買っていた場合、それは失われてしまいます。無実の罪で批判された場合など、やりきれない思いを抱きもするでしょう。デジタル社会でのアイデンティティを考えるには避けて通れない課題だといえます。

デジタル化が進めば、仮想世界と現実世界のルールや情報をどこまで融合できるのか、してもいいのかを考えなければならないでしょう。

例えば仮想空間内のアバターを20歳未満の人が所有していた時、そのアバターは飲酒していいのでしょうか。現実世界での飲酒は、20歳未満の場合は法律で禁じられていますが、それは若い人の成長に大きな影響を及ぼすためです。一方、仮想世界のアバターが飲酒するのは許されるのでしょうか。実際に現実世界にいる所有者が飲酒しているわけではありませんし、人体に何も害はないといえます。未成年者飲酒禁止法も仮想世界までは適用されていないので、今のところ何も罰則はありませんが、仮想世界の情報と現実世界の情報が融合していった場合、現実世界で20歳未満の人は、仮想世界でも飲酒をしてはいけないといったルールが作られるかもしれません。

それがいいことなのか悪いことなのか、まだ正解はありません。知らないうちにルールが決まっていた、誰かに決められてしまっていた、という事態は、利用者にとっていいものではありません。こうした議論の動向を注視して、来たるべき将来に向けて自分の意見を固めておくことが求められます。

現実世界で無茶をしないのは、現実において私たちが責任ある存在であることを求められ、実際にそうしているからです。責任のない振る舞いをすると各種の罰も待っています。しかし、仮想世界に足を踏み入れた時、私たちはヒューマンビーイングから切り離された責任なき「デジタルビーイング」になってしまい、無茶をしてしまうことがあります。

責任を負わせるためにデジタルビーイングを現実とリンクさせるのか、でもせっかくの仮想世界と現実世界と密につなげてしまうのは可能性を殺ぐことにならないか、バランスを取るのは難しい問題です。

先に述べた人間にしか思えない振る舞いをするＡＩ制御のアバターなども、デジタルビーイングの枠に入ってくるかもしれません。

社会のデジタル化の一要素に人工知能の高度化があります。２０４５年には人工知能が人類の知能を追い越すのではといわれていますが、仮想世界で活動するアバターが自分よりも賢くなり、独立した意思を持って行動しているとしたら、まさにデジタルビーイングを体現していると言えるかもしれません。

かなり飛躍した話ですが、現実世界の自分のアイデンティティ情報を概ね仮想世界のアバターにコピーし、仮想世界で結婚し、相手とアイデンティティ情報を交換・交配することで、仮想世界に自分の子供に相当するアバターを生み出すことも、理屈の上では可能です。しかもそれは、現実世界の自分の意思に無関係で、アバターが独立したロジックを持って活動し始めるかもしれません。

一方で現実世界の人間がアバターをともなって仮想世界でコミュニケーションする場合でも、相手は必ずしも現実世界の人間ではないかもしれません。

身近な例では、アニメなどをもとにしたキャラクターと結婚する人が出てきています。一笑に付す人も多いでしょうが、仮想世界での社会形成を考える場合、自分のアバターが結婚して仮想世界で活動するのか、相手のアバターは背後に人間を伴うのかそうではないのか、仮想世界での婚姻と現実世界での婚姻は重婚に該当するのかといったことなどを整理する必要に迫られるかもしれません。実際に事務方の中には、仮想世界のアバターから住民税をとる未来を想定している人もいました。アイデンティティの問題はこのように多岐にわたり、混沌としてもいますが、活況と解決すべき問題がたくさんある胸躍るフロンティアであるとも言えます。

正解のない世の中だからこそ選択肢が必要

社会のデジタル化が高度になるにつれ、データの所在やその紐づけ・分析がどのように行なわれるのか、議論が活発になっています。

アイデンティティ関連では、それを中央集権的に管理すべきか、それとも民主的に分散して管理すべきか。GAFAのようなビッグテックやそれに続く企業が独占してしまうのか。ひいては、データの関連づけが高度に行なわれて、個人のプライバシーが自らの手を離れてしまうのか。それに対して、自らの手にアイデンティティ情報を取り戻したとして、私たちはそれを持て余さないのか。

データによる個人の選別から個人を保護する気運が高まり、ＥＵ一般データ保護規則（ＧＤＰＲ）が成立、日本国内でも個人情報保護委員会が設置され、個人情報保護法も今後改正されるなど、規制の動向も見逃せません。

現実世界でも仮想世界でも、そこで自分がどのように振る舞うべきか。自分が自分であるとどのように証明するか。思わぬところで、自分の情報が紐づけられ蓄積された結果、自分が不当に評価されてしまわないか。デジタルアイデンティティの問題はすでに他人事ではなくなってきています。Ｗｅｂ３やメタバースといったバズワードに踊らされることなく、ふだん使っているすべてのＩＴサービス、ひいては生活で遭遇する様々な場面で、デジタルアイデンティティを意識し始めると、新しいヒントが見つかるかもしれません。

今後ますます生き方や思想の多様化が進む中、なるべく個々人が自分のアイデンティティの在り方を選べるように選択肢を多く作っておくことが大切だと考えます。

デジタルアイデンティティを安心して預けられるのは行政だという信頼を

沢しおん（さわ・しおん）

IT企業役員、自治体顧問、小説家。1976年生まれ。青山学院大学文学部卒。起業後ゲームクリエイターとしてオンラインゲームの開発に携わりながら、業界団体ガイドラインの策定を行なう。共著に『NFTゲーム・ブロックチェーンゲームの法制』（商事法務）がある。2020年、東京都知事選挙に立候補（2万738票獲得、22人中9位で落選）。IT企業での経験を活かし、自治体顧問としてDX推進分野のアドバイザーに就任。2018年に開催された「NovelJam2018秋」で短編小説『マイ・スマート・ホーム』を発表し小説家デビュー。『ブロックチェーン・ゲーム 平成最後のIT事件簿』（インプレス R&D）など。現在、近未来を舞台にした社会小説『TOKYO2040』を雑誌『DIME』で連載中。

安心して行政にデジタルアイデンティティを預けられるのか？

メタバースをはじめとしたデジタル空間の登場、Ｗｅｂ３のＤＡＯに代表される新しい組織、働き方など、既存の枠組みに収まらないデジタルの進化に、行政や法整備は全く追いついていない。さらにアイデンティティの多様化が進み、その所在がリアルだけでなくデジタル領域にまで広がる中で、新たな問題も生まれている。

総務省が「行政を効率化し、国民の利便性を高め、公平・公正な社会を実現する社会基盤」と説明するマイナンバー制度では２０１５年10月以降、国民１人に１つ、12桁の個人番号が通知された。しかし、その番号と顔写真、ＩＣチップの付いたマイナンバーカードの申請状況は、マイナポイントなどの度重なる配布にもかかわらず、国民の７割をやっと超えた程度だ（２０２３年2月27日現在）。「個人情報を悪用されるのではないか」「データ流出の危険性は大丈夫か」「健康保険証を廃止して一本化するのは事実上の義務化ではないか」といった懸念を抱く人も多い。行政や政治家への信頼も揺らいでいる。

このような世情の中で、国や自治体で推進しているデジタルトランスフォーメーション（ＤＸ）は、現場ではどのように進められているのだろうか。今回、話を伺ったのは自治体の顧問としてＤＸ推進アドバイザーを務め、オンラインゲームやメタバース等の仮想世界にも造詣が深い、作家の沢しおんさんだ。

沢さんは雑誌『ＤＩＭＥ』で、近未来の日本を舞台にした社会小説『TOKYO 2040』を連載中である。現代のテクノロジーが今後どのように発展していくのかを徹底的に考察し、物語の設定にリアリティを与えている。

今回は小説の舞台である２０４０年よりもう少し近くの未来――２０３０年頃の日本はどうなっているのか。現在の取り組みと展望をふまえ、現場での気づきなども交えつつ、行政とデジタルアイデンティティの問題について話を伺った。

【参考】マイナンバーカードの申請状況
https://www.soumu.go.jp/kojinbango_card/kofujokyo.html

ふるさと納税、2拠点生活とデジタルアイデンティティ

Q・アイデンティティが多様化している中で、行政や自治体に求められていることは何でしょうか？

日本の行政として「デジタルアイデンティティ」の問題に向き合うためには、国をはじめ、広域自治体である都道府県、基礎自治体である市区町村が、住民をどう捉え、どんな役割を負うかに自覚的になること、そしてそれに基づいた未来・ビジョンをしっかり提示すること、そのために何をするのだということを、メッセージだけでなく早急にDX推進による行政改革として行なっていくことが必要だと思います。

2008年から地方税法等の改正によって始まったふるさと納税は、人口減少による税収減への対応、大都市圏と地方の格差是正などを目的としたものですが、私はふるさと納税って、その人の肉体はその土地にはないのだけれど、心は郷里や推しの土地にあって、そこへ税を納めているから、ある意味で「バーチャル移住」ではないかと考えて

いるんです。

ただふるさと納税は、本来は居住地に納められる税金がほかの自治体へ流出しているということなので、税制としては正直微妙で、自治体の財政問題を根本的に解決しているとは言い難く、どうなのかなと思うところはあります。しかし、地方交付税交付金に頼らずに、自分の土地の良い点を見つけ、営業努力をするという流れが生まれたのはいいことだと思います。

ここへデジタルアイデンティティの視点を入れ込んだ「ふるさと納税＝バーチャル移住」とすると、都市部の人間にとってただ単に名産品をお得に購入したり、税金の控除を目的とするだけではなく、もっとおもしろくなるだろうなと思うんです。

例えば自治体で、ＤＡＯのようなデジタル・コミュニティを作って、そこへオンラインで参加できるようにすると、名実ともに「ふるさと納税」の意味が出てくる。名産品をもらうショッピングモールみたいな使い方は本質から外れやすいものなので、デジタル・コミュニティやそこに参加するデジタル住民のアイデンティティをきちんと定義して、ルールの理解と承諾のもと納税までしてもらうんです。

さらに各自治体がメタバース内に特区を設けて、その土地で活動するバーチャル議員を選出すれば、先ほどのバーチャル移住をしたデジタル住民からの税の使途を議論させ、任せることもできるようになります。リアル世界で身辺調査が行われるのと同様で、デジタルで定義されたアイデンティティをもって活動をすれば、どこの誰かは特定できますから、バーチャル議員はどこに住んでいてもいいわけです。

またデジタル住民としてその土地にどのくらい貢献したのかは、あらかじめのルールメイキングによって活動に応じて自動的に配分されるトークンをもとに徴税額を決めても良いですし、メタバース上で仮想世界へ出稼ぎをした場合はデジタル住民としてのアイデンティティによって、どの自治体へふるさと納税されるのかがすぐにわかるようになります。

またデジタルアイデンティティをリアルと接続することは、実際の肉体で複数拠点で生活している人や海外移住者にも強い味方になるはずです。どの地域の行政サービスをどのように受けたのかを確実に把握できるようになるからです。

現在では難しいとされていますが、2015年の税制改正までは日本での徴税を嫌って海外へ移住し、日本での在住期間を183日以内になるように調整するという節税テクニックがあったようですが、デジタル上のアイデンティティがリアルと紐づいていれば、今後、新たに居住実態が問われるケースがあっても、存在の証明に苦労することもないですし、行政から見ればうやむやになることもなくなるわけです。

地方自治体の選挙に立候補した人物がその地域に居住していなかったために裁判によって当選無効となるニュースがありましたが、わざわざ水道の利用実態はどうだったかとか、近くのコンビニを使っていたからレシートがあるだのないだのということを調べるコストをかける必要がなくなります。

ただし、企業や組織による目的外利用の情報収集や、人々の日々の行動を監視したり、いちいち細かく責め立てたりするためにログを取りたいのではなく、個人が自身の善性を信じてアイデンティティと紐づけて記録するわけです。その理由は、「人は誰かに奪われた情報をコントロールできないから」です。人間は3日前に食べたものをパッと思い出せないくらい物事を忘れてしまう生き物ですから、自分のためにログを取ってコントロールし、その上でアイデンティティ化していくわけです。

しかしながら、コントロール権があるからといって、それがＩＴの進化で扱いやすくなったからといって、多様化していく現代人の生活において、何もかもをやるのは難しいとも思っています。

そうなると、やはり安心して私たちの情報を預けていられる、また預けたつもりはなくても、取得されたもろもろの情報について目的外利用や悪用をされない、ということができる相手は自治体しかないかなと思うんです。


政府に情報を握られるのは嫌だ、といった意見もありますが、民間なら安心かというと、現代ではスマホやスマートウォッチなどを持っていれば、行動ログを全て取られていると思って間違いありません。匿名加工情報や統計情報であったとしても、端末の持ち主がどのあたりに住んでいて、年齢は何歳くらいで、どこへ勤めていて、家族構成がどうなっていて、年収はどの程度で、何時に寝て、何時に起きるのか、よく眠れているのか、体調はどうか、何に興味があって、どこでどんな買い物をしているのか……ビッグテックにはそんなアンコントローラブルなデータが積み上がっているという不安がすでにあります。

デジタルアイデンティティの確立と活用は個人情報保護の範疇を超えて喫緊の課題でもあると思います。個人が情報を取得されることを承諾したからといって、企業や組織は何でも使っていいというわけではなく、企業や組織の責任が強く問われている。

そんな時代だからこそ、ビッグテックの肥大化に睨みを利かせながら、「デジタルアイデンティティを安心して預けられるのは行政である」という強さ、データ利活用の本丸は行政であり地方自治体であるというメッセージを打ち出すことが、今の政府や自治体に求められていると思います。

広がる自治体のサービス格差

全国の自治体で受けられるサービスには差があります。これは人口や税収というリアルな話が根拠になってくるので、差はあって当然なんです。しかも現在、市区町村は全国に１７００以上あります（※総務省によると、市７９２、町７４３、村１８３の計１７１８市町村と23区がある）。つまり日本の市区町村のシステムは１７００通りある、ということなんです。これがいわゆる「自治体の１７００個問題（または47都道府県＋１７１８市町村＋23区＋１００を超える行政機関や広域連合を合わせて２０００個問題ともいわれる）」と呼ばれるもので、自治体間での連携の妨げになっているんです。このままでは情報共有の不足を原因とした格差が広がってしまいますので、必要な標準化、均一化を含めて、体制の整備から人材の確保や育成が急がれています。総務省の策定した「自治体デジタル・トランスフォーメーション（ＤＸ）推進計画」はそのためにあるといえます。

サービスを受ける時の手間は、北は北海道から南は沖縄まで、さらには山間部や離島も含めて日本のどこに住んでいても一定にする。ただ土地が違う以上、サービスは一定ではありません。あくまで「サービスを受ける手間は一定にすべき」と私は考えています。

先程例に挙げたふるさと納税や2拠点生活、そしてバーチャル移住が当たり前になってくると、自治体にとっては単なる「リアル領土の線引きではない」状態になります。そこにおいて政府がリーダーシップを発揮して的確に采配していくにはリアル、バーチャルにかかわらず、国民にとって何が最善なのかを考えること。そして、その鍵を握っているのが地方自治の原則に基づいて、かつ私たちの生活に密着した自治体です。デジタルによる行政改革の成否は、デジタルアイデンティティをどう扱うかにかかってくるわけです。

デジタルアイデンティティのコントロール問題

Q・デジタルアイデンティティを〝預けて、コントロールする〟とはどういうことなのでしょうか？

私たちが想像している以上にビッグテックは情報を握っているという懸念から、民間企業や巨大組織から離れようと、ここ最近「非中央集権」を掲げた「Ｗｅｂ３」が盛り上がっています。

ですが、先ほども述べたとおり、安心してデジタルアイデンティティを預けられるとしたら、それは行政しかないと思います。住民の個人情報が不正利用されてしまうケースとして考えられるのは、制度設計の不備や情報取り扱いの知見の無さから目的外利用をされるということかなと思います。これは例えば教育関連のデータに関して、児童や生徒の成績をＫＰＩにするばかりに、家庭環境にまで踏み込んでしまって身も蓋もないデータを揃えた上で考察に及んで統計的差別が発生する、というようなものが考えられます。

そのほかには、フィクションじみてしまいますが「謂れのない税を無理やり徴収する」とか「人を選別して戦場に送る」とか、自分の小説のネタにしたくなるようなことが思いつきますが、それは現実化しづらいことです。

一方で、民間企業は個人情報を承諾さえ得ていれば使えるとか、匿名加工情報であればよいとばかりに組み合わせることによって照合や特定が可能な状態であろうがデータをどんどん吸い上げてビジネスに活用しかねない怖さがある。

もちろん使われるシーンが違いますので、どちらがいいと決められるものでもありませんが、すでに私たちはデジタルアイデンティティについて、いつのまにか随分と不自由な場所に立ってしまっている、ということは意識しておいたほうがいい。

デジタルアイデンティティをコントロールすることは、現代の私たちにとって、非常に大切なことです。自分が預けたデータ、そしてそれが預けた先でどう扱われているのかについて知っておく必要もあります。

ところがサービスを利用しているうちに各所にどんどんデータがためられてしまい、どこにどんな情報を預けているのか自分で把握できていない、というのが現実です。Ｗｅｂサービスが多すぎて「ＩＤとパスワード、何だったったっけ？」となってしまいがちですよね。こんなにいろんなサービスを使っていたのかと思うと、普段からサービス上に蓄積された自分の情報が、その先でどう扱われているのかをほとんど考えないで生きていたということです。

現在は２０２２年４月に施行された「改正個人情報保護法」で、利用目的の明示が強化されたり、同意手続きが強化されました。例えば、個人が何かのＷｅｂサービスに加入する際に、サービス提供側は個人情報の明確な利用目的は何かを明示するし、目的が変わった場合は勝手に使ってはならず、必要に応じて再度の同意を利用者に求める必要がある。

自分で何もかもをコントロールしないといけないのは大変ですし、コントロールできたとしても、つい忘れてしまうのが人間です。面倒だなという思いが先にきてしまうと、「自分の情報を使っているのはそっちなんだから、そっちでやってくれないかな」と思ってしまう。それがニーズの全てではないですが、２０２２年の改正では、個人情報の収集・利用・提供において、事業者や組織に責任を負わせることが一層重要となったわけですね。

そもそも向こうが「情報を奪って利用してくる側」で、それをコントロールするコストを私たちが全部押し付けられている状態はとても非対称です。

もう少し身近な話をしますと、最近スマホやパソコンのブラウザから「パスワードを使い回しているので変えませんか？」という提案をされることも多くなってきました。変更しようとパスワードマネージャーの一覧にアクセスすると、大量のＷｅｂサービスが並んでいる。それだけパスワードをＯＳやブラウザに保存しているということは、その先に何らかの個人情報が蓄積されたり、私が私として識別されたりしているということになります。だけど、どこに何のどんな情報を預けているのか、そのすべてをきちんと自分で把握できている人は少ないでしょう。

最近は100円ショップでパスワードを管理する小さなノートが売れているそうですけど、それは利用しているサービスとパスワードが記憶できないほどたくさんあるということだし、結局「紙に書く」というアナログへ回帰しているということですよね（笑）。こんな小さなことからも、自分でコントロールすることは、もうほぼ不可能だといえることがわかると思います。

個人情報保護という視点で、個人が情報利用において不利益を受けることがあってはなりません。どうしても古いイメージで「名前と住所とメールアドレスが漏れた」などの漏洩事故の予防意識からクラッキングや盗難時対応などのセキュリティは大丈夫なのかという議論をしてしまうことが多いですが、現代では「失くすこと」「バレること」以上に、知らないうちに情報利活用の名のもとに個人のデータが用いられているほうが怖いのです。

今後は、危険性を意識せずに使っている人々を当然のものとして、コントロールではなく、どう「保護」するのか、そこにもっと議論が集中していくと思います。

人々にとって個人情報がどのように扱われているかを意識しないでも悪意に晒されることなく安心して生活できる、いちいち考えなくても大丈夫な状態にならないといけないですね。おそらく将来的にはＡＩが自分に成り代わってケアしてくれることも考えられますが。

また、個人情報保護法は３年ごとの見直しが条文の中で義務づけられているので、２０３０年までだと、あと２回ほど見直すことになります。その中でデジタルアイデンティティのあり方や、他者からどう見えるのか、扱われるのか、正しくコントロールされるのかというのが今まで以上に重要になり、法律の世界だけではなく、身近にも感じられる社会になっていると思います。

個人情報を預けるという仕組みがあったうえで、どう安全に扱われるのか。自分に関わってくる問題として皆さんには今から考えていってほしい問題です。

また個人情報を預けないでコントロールするやり方、例えばＤＩＤ（Decentralized Identity＝分散型アイデンティティ。特定の企業によるアイデンティティの管理主体が存在しない）や、ＳＳＩ（Self Sovereign Identity＝管理主体が介在することなく、自分自身が自らのアイデンティティを保有、コントロールできること）という考え方もあるんですけど、それらのほうがより高度な知識やスキルが必要になってくる場合があるため、一般的には難しいかなと私は考えています。

メタバースでも現実世界同様のルールメイキングが求められる

Q・今後リアルだけでなく、メタバースのようなデジタル空間で過ごす時間が増える中で、どんな問題が起こると思いますか？

現在メタバースを使っている人は、メタバースのことをわかっている人、習熟した人が主です。しかし、今後利用者の裾野が広がっていくと対人問題、つまりアバター同士でのトラブルが急増すると考えられます。

現実世界と切り離された仮想の姿や性別のアバターであったとしても、ハラスメントがあれば操作者の人格が傷つけられることになる。仮想世界の事象、と簡単に割り切れるものではないんです。

これは20年前からMMORPG（Massively Multiplayer Online Role-Playing Game＝ネットを介した大規模多人数同時参加型のオンライン・ロールプレイング・ゲーム）でも発生してきたことなんですが、この時はまだプレイヤーキャラクターでのロールプレイという建付けや「ガワ」がクッションとなったり、遊ぶエリアや接続先サーバーを変えたり、ブロックしたり、あるいは自身がやらかしてしまった際はギルド（ゲーム内組織）から追放されたり、いったんゲームを引退してアカウントを作り直して再度ゼロからプレイしなおすなど、様々な距離の置き方、関係の断ち方、あるいはコミュニティによる制裁といったものが用意されていました。またゲーム企業による運営の力が強いので、システムアップデートでコミュニティのあり方そのものから改善されたり、泥臭いところではマナーの悪いほかのプレイヤーを問い合わせフォームから通報して相手のBAN（アカウント停止措置）を求めることも可能だったんです。

しかし現在のメタバースは、ゲームとは違って個々の自由を重んじており、秩序もメタバース内の文化・風俗として醸成されていくことが尊いというところもあるんです。

メタバースでのデジタルアイデンティティは、現実世界と同一のアイデンティティを持たせてログインする人はもちろんのこと、仮名であろうが何らかのキャラクターを演じていようが、メタバース内の揺るがない自己として捉えられます。

またハードウェアやセンサー、表示機器の進歩で没入感が高くなればなるほど、CGで描かれた世界で物に当たると現実でも痛いという錯覚＝ファントム・ペインとして肉体へのフィードバックが起きるように、精神へのフィードバックも強くなります。となると、メタバースでのアイデンティティは、いわゆるゲームの操作キャラクターの範疇を超えて、自己のメンタルにも直結していくわけです。

現実世界の肉体と精神は当然あるものとして、それがあるからメタバース内の自身が傷ついていいや、ログアウトして現実の自分が傷ついていないことを確かめられたらいいや、ということにはならない。どうしても肉体を持ったこの世界がメインと考えてしまいがちですけど、そうではないんです。

これは特別なことではなくて、もうすでにネット上での文字や写真、動画でのコミュニケーションでも起きていることですよね。SNSでもよくあります。同様に、メタバース内で活動しているのに、操作している人物が特定されて、現実の人間関係に起因した問題がメタバース内に持ち込まれるのではないかという懸念も当然あります。

また近年、現実世界では「無敵の人」という、自暴自棄で失うものが何もなく、他人を傷つけ、鬼になる人が存在していますが、現実世界で存在するものは仮想世界でも存在します。しかも現実より発生しやすいのは、SNSでの炎上に代表されるように、匿名によって人が攻撃的になることでもわかりますよね。メタバース内でも事象によっては被害者も加害者も「デジタルアイデンティティの死」が発生するようになると考えられます。加害者は制裁によって「メタバース内で社会的に死亡する、それ以上そのアイデンティティでは活動できなくなる」というニュアンスです。

そこで考えると、メタバース内で息づいているアバター達にも、現実世界同様にルールメイキングやポリッシング（警察）の話が出てくるのは必然です。

今のメタバースは過渡期なので「自由がいい」となっていますが、今後は運営会社に正してもらうのか、それともコミュニティから選挙で選んだバーチャル議員や警察官を誰かに担ってもらったほうがいいのか、ということが議論されるようになるでしょう。

アバター同士のトラブルをＡＩが解決する？

ではアバター同士でのトラブルを防ぐにはどうしたらいいのでしょうか？

ＳＮＳでもトラブルを回避するためのブロックやミュートがありますが、上手に使いこなしている人は多くありません。それは「こういう場合に使う」という用法が定まっていないからです。ブロックすることで報復されるのではないか、自分から見えなくなったはいいが陰口を叩かれているのではないか、と疑心暗鬼になってしまうので、不安で使えないとい

バーチャル世界ならではのトラブルも

うこともある。

これは人の感情の話ですので、システム側の機能ではどうにもならないことなんです。現実世界と同じようなルール、段取り、手順がないと、コミュニティや共同体としての運用が立ち行かなくなる時が来るんだろうなと思っています。

しかし、今後デジタルアイデンティティの扱いが確立し、コンセンサスが得られるとすると、メタバースならではの処理ができるようになるのではないか、というところに希望を持っています。これはおそらくＡＩの判定という形になるでしょうが、アバター同士の距離感をコミュニケーション濃度から測ったうえで、メタバースの運営側で配慮や措置を行なえるようになる。

アバターのメタバース内の行動をもとに「この人とこの人は、引き合わせるとまずそうだな」と判断されたら、ＡＩがフィールドを離したり、見えなくしたり、ボイスチャットならわざと聞こえないようにするなどして、引き合わせないようにしてしまう。それによって、未然に人々が傷つけ合うことを避けられるようになるんです。現実世界でいう「神様の思し召し」に近いことをシステムがやってくれるイメージでしょうか。

すでに現代でもSNSのタイムラインが、システムによってはコミュニケーションの濃度によって並び替えられているわけですから、CGのボディをまとったメタバースにおいて「この人とよく会うな、気が合うからいいか」とか「嫌な奴だったけど、最近顔を見なくて済んでいる」みたいなことが起こっても不思議ではありません。露骨に「ブロックしたので姿が見えない、チャットが聞こえない／読めない」ではなく「何だかわからないけど最近会わずに済んでいる」のほうが互いに心地いいですからね。

これからはメタバース内でもアバター操作者の「心理的安全性」を確保しなければならないわけです。

アバターのアイデンティティをどう扱うか？

そうなってくると、現実の肉体を持った私のアイデンティティと、メタバース内のアバターのアイデンティティは同じでいいのか、それとも別にしたほうがいいのか、という問題が出てきます。

現実の世界と一緒であることが有用な場合は、メタバースの中での活動によって現実の私が利益を受ける時です。これは肉体を持った私とアバターは同じアイデンティティである必要があります。メタバースの中で歌って耳目を集めたら、現実の私が歌手デビューできる、というような話であれば同一のアイデンティティであったほうがいい。

メタバースでなくても、今後は自治体のデジタル役所やデジタル窓口ができて、すべての行政サービスがデジタルで完結するようになるかと思われますが、その場合のデジタルアイデンティティはどうやったって本人と同一であるという前提で運用されないといけないわけです。実は何らかのキャラを演じてました、というわけにはいかない。

現実世界と同一のアイデンティティをメタバース内で使う場合は、現実世界の法律が適用されるということになるでしょう。この適用に関しては「メタバース内と現実世界がどのくらいリンクしているのか」が議論の焦点になってくると思います。

また同一ではなく、アバターとしてのアイデンティティがきちんと確立されれば、先程のＡＩの例のようにメタバース内のシステムが自動的に心理的安全性を確保してくれるようになるでしょう。いわばデジタルアイデンティティの外部からの拡張ですね。確立したアイデンティティを持つアバターは、メタバース環境とともに徐々にそちらへシフトしていくだろうと思います。メタバース内の森羅万象とともに人格が拡張されるイメージです。

ただ、いずれにしても人が操作したり演じたりするという点で全員が同じアプローチになることはなく、どうしてもグラデーションができると思います。現実の人格の出張所としてアバターを使う人、現実世界とアバターの人格はまったく別の人、現実と同じ人格だけど人付き合いをリアルと変えたいなどの理由で別人として振る舞う人、メタバース内で唯一無二の人格として振る舞う人……etc.

私たちはすでに、VTuberに代表される、操作は誰かがしているけれどもオリジナルの人格を持ったCGキャラクターという例を見てきているわけですが、それ以上にメタバース内のアバターは様々な使われ方があると思います。

また、人が操作するのではなく、ＡＩが行使する人格も出現します。それには2種類あって、まずは現実世界の誰かのアイデンティティを代理で行使する人格。これは自分じゃないけれど自分と同じ考え、動きをする人格、つまり現実世界の誰かのアイデンティティを代理で行使する人格で、デジタルツインのひとつということになります。

もうひとつは、完全にゼロから創作された人格です。

このように、デジタル上でのアイデンティティはそれを操作する人、またＡＩの進化によって、新たな課題を生む可能性があるわけです。最初はｂｏｔ（自動制御のアバター）のようなものでしかないと思いますが、いずれメタバースでＡＩの操るアバターに出会った時、それを操作しているのが人間かどうか、わからなくなったりもしそうですね。無理に気にすることもない時代になっているかもしれませんが。

ＡＩにどこまで代理をさせるのか？

メタバースに限らず、現実に存在する世界そのものや仕組みをデジタル世界へ写したものを「デジタルツイン」と呼びます。主にシミュレーションを目的として使われるなどですが、これをメタバースに適用して、スケール感や物理法則も含めてすべてをまるっと世界としてコピーし、再現することで、一層リアリティのあるシミュレータとして使えるということで、期待されているんですね。例えば防災の観点で、震災時に路線や道路が動かなくなった場合、台風で川の水位が上がり氾濫した場合に、人流がどうなるか、そういったことの予測にも使えるとされています。

デジタルツインにするのは世界まるごとだけとは限りません。個人のデジタルアイデンティティをデジタルツインへと移行させた時、どんなことが考えられるでしょうか？　リアルの世界ではフォーマットの違うデータや、そもそもデータ化されていないものがたくさんあります。ですが、デジタルで作られた世界はそもそも全てがデジタルデータです。そこで現実とデジタルツインのそれぞれで徹底的に自分のライフログ、行動履歴を取っていくとします。

いずれにしても架空の話なので、それらはＤＩＤとしてＡＩの補助のもと個人が完全にコントロールできるもの、くらいに仮定しましょうか。それは経験や体験の蓄積という点で、自分が思うよりもっと自分のことを知り尽くしている存在になる可能性があります。人間は忘れてしまう生き物ですが、デジタルツインにて蓄積されたデータの塊であるデジタルアイデンティティは、人間の記憶以上に利活用されていきます。

こうして集約されたデータをベースとしたＡＩ制御のｂｏｔをメタバースに解き放つと、本人さながらの動きを始めるようになります。デジタルツインが本人の代理の人格となるんです。するとおそらく、現実とメタバースの境が曖昧になります。例えば現実の世界でトイレに入っていたあなたが、トイレットペーパーがなくなったことに気づいた瞬間に、デジタルツインのほうがトイレットペーパーを注文してくれるなんてことが発生するわけです。現実でセンシングされた事実が、デジタルツインの自分によってネットで注文、品物が家に届くようになるわけです。

これがさらに進化すると、どうなるか？　デジタルツインは現実の無意識さえも可視化してしまいます。ある日突然、家にボールペンの替え芯が届きます。でも替え芯がなくなってはいないし、買おうとも思っていなかった。でもいざボールペンで書こうと思ったらインクが切れていたのがわかった、ということが起こる。占い師や予言者よろしくニーズの先取りという、人間以上のことをし始めてしまう可能性があるんです。

ただデジタルツインの人格やそれを取り巻くデジタル環境がここまで進んでしまうと、

その人格をどう扱うのか、ＡＩにどこまで代理をさせるのかは議論を呼ぶものになるでしょう。代理人格がほぼその人＋αになってくるわけですからね。任せてしまうことで安心する人もいるでしょうし、気味悪く思う人も出てくるはずです。これがもっと進化すると、思想としての考えさえも本人に先行して代理してしまう可能性があり、便利なしくみにどっぷり浸かるといつのまにか人間としてのフィロソフィーの在処を奪われているというような、ＳＦで描かれたディストピアが到来するようになりますね（笑）。

もう少しいいですか。ソフトウェア上やCGの姿をしてメタバース内で動くＡＩ代理人格は議論でなんとかなると思うのですが、代理人格が人形（ひとがた）のアンドロイドに搭載されたら、どう受け取られるでしょう？　実は人間の認知というのは、人間と同じ形をしたものに相対すると歪むんです。四角い箱のコンピュータにＡＩを内蔵して、「生意気なことを言ったらぶっ壊してもいい」ことにしておくと、電源を抜いたりハンマーで叩き壊すことができます。しかし人間の形をしていると、急にできなくなるんです。アメリカのボストン・ダイナミクス社が作っている2足歩行ロボットも、どんどん人間っぽい動きをするようになっていますよね。人間に似た姿や仕草とがセットになって、何らかのメッセージを受け取ると「本当は心があるんじゃないか？」と愛着を感じてしまうわけです。

これは様々なSF作品で取り上げられてきたテーマですが、いまだに答えが出ていません。あなたは、どう考えますか？

さて、架空の話が続いたので、もう少し地に足の着いた話に戻りたいと思います。

デジタルアイデンティティ＝国民

Q・これからの自治体の在り方や役割はどう変わっていくと思いますか？

これからの日本は、行政システムの面でもアイデンティティの面でも、デジタルを大前提として自治体の役割と住民の接点を再発見するところから始めるべきだと思います。

基礎自治体、すなわち市区町村が密接に住民の生活に関わる役所であり、それをデジタル化するというのはどういうことなのか、トランスフォーメーションというほどの改革はできるのか、そして広域自治体である都道府県は、土地固有の問題や疫病や災害といった領土の民へ迫る危機に対して、デジタルで何ができるのかを考えていくべきです。国家は、国民を総体として見た時に、デジタルでどうしたいのかということをきっちり議論して、ビジョンとして示していく必要がある。そのためのデジタル庁ではあると思うのですが、あくまでも公共事業や現業などの事業役務を行なう現業官庁であって、やることリストはデジタル庁のＷｅｂサイトで公開されていますが、こういう未来があるからこういうことをやる、というグランドデザインや政策を国民に打ち出せているかというと、微妙だと思います。

そもそもデジタルアイデンティティ＝国民なんですから、ていねいに説明を尽くしてほしいと思います。もちろん、行政側からすると「リリースしている文書を読み込めばわかる。すべてホームページ上にある」と言うかもしれませんが……そんなの読み込む人は、ほとんどいないですよね（笑）。

デジタル化が案外進まないのは、人間そのものが対人のユーザーインターフェイスとしてすごく優れているからです。人間がやったほうが早くて柔軟なんです。

曖昧だったり間違ったことを聞かされたりしても、聞く側が人間なら「ああ、それはこれですね？」とスッと対応できる。でもコンピュータはＡＩ技術が発展しても、思うとおりにいかないイメージがある。まだまだ人間が万能すぎる、そのアドバンテージに寄りかかっている時代なんです。

これは私が顧問を務めている自治体で聞いた話なんですが、職員が産休や育休を取るために手続きしようとすると、提出しなければならない書類や申請しなければならない工程が10以上あるんだそうです。しかも、そんなに手間がかかるようになったのは、ここ3年くらいだと言う。

その理由は、昔は「今度子供が生まれるんです」と言うとすべての手続きを代行してくれていたベテランの庶務事務をやっている方が各部にいて、ひとつ物事を伝えると素早く柔軟に対応してくれていたそうなんです。しかし経費削減でそういったベテランの人も異動してしまったり、職員が自分でやらないといけなくなったというわけです。ただ、デジタル化が並走しなかったため、紙の書類で申請したり、Ａという部署から取り寄せた資料をＢという部署へ郵送したりといった作業が残ってしまっている。

ＤＸのブームで、紙がデジタル化され、いつでもどこからでもＷｅｂフォームで入力できるようになってきましたが、申請という行為自体は自分でこなさないといけないということで、ワークフローの観点からすると退化していることもあるわけです。

だから人のような柔軟な対応も含めてどうＤＸで解決するのかを考えないといけない。これは職員による産休申請の例でしたが、もしこういった事象が円満に解決できるなら、それは住民の窓口申請や煩雑な手続きにも応用できる。できるなら躊躇なくやる。こうしたスピードや柔軟性が必要なんです。

住民が窓口をあちこち回ったり、Ｗｅｂフォームのインターフェースがこなれていなくて、二度手間、三度手間が発生するのは役所がＤＸをサボったコストを住民に押し付けている、住民の汗にフリーライドしている、そういう話ですよね。

その先で、フルスピードでデジタル化し、トランスフォーメーションする傍らに、必ずこぼれ落ちるものや人が出てくる。それをアナログで古くから重用されてきた万能インターフェースの「人間」が丁寧に拾っていく――これがデジタル庁が掲げる言葉にある「誰一人取り残されない」の本質で、とても大事なんです。

「おぎゃー」と赤ちゃんが生まれたら、フルオートでライフステージを支援

デジタルアイデンティティについて考えていると、私にはひとつ大きな疑問があるんです。

なぜ行政は、子供が生まれた瞬間からデジタル的思考ですべての手続きを始めないのでしょうか？　子供が生まれたら、出生届を出さないといけないわけですから、そこからフルオートでライフステージを支援していくシステムがあれば、いろんなことがやりやすくなるはずなんです。いや、出生届もなにも、生まれる前から母子手帳などの仕組みがあるのだから、病院と連携して「生まれました」とデータ入力すればいい。赤ちゃんの指でタブレットの「誕生」ボタンをタップするのでもいい。

それで「おぎゃー」と赤ちゃんが生まれたら、同時にデジタル世界でもアイデンティティを誕生させる。氏名、本籍、住所、生年月日といった情報があれば、それがトリガーになって、予防接種のフィールドが作られたりして、何歳までに何をやらなければ、というライフデザインにおいて行政ができること、受けられる支援に関する内容がセッ

トアップされればよいわけです。若い親が育児に専念できるように「調べないとわからない」ことを無くす。

もちろん、子どもが育つ過程で、お子さんやその親、家庭の状況にも変化があるでしょうから、それは都度修正すればいい。修正できるからこそそのデータであって、ガチガチに固定したレールを曳くためにデジタル化するわけではありません。

個人情報活用や目的への住民理解のもと、行政がデジタルアイデンティティをしっかり管理できるならば、いきなり「保育園が足りません」という現実を突きつけられて住民が慌てることはなくなります。転入出も把握できる以上、その地域で特定の年齢の子供が突然増える現象は起きないわけですからね。

と、理想を述べましたが、自治体や行政は「今起きている問題」でないと、予算も人員も割けないという状況にあるのは事実です。「こういうことが起こりそうなので、こういう対策を立てましょう」という提案は、議会もいい顔をしないはずです。さすがに切迫性が指摘され得る地震や津波、水害、噴火など防災に関することにも予算を割きにくいというのはいかがかと思いますが、そんな自治体も多いんです。

しかし、それは未来やビジョンの説明をしていないからできないだけ。「来るべき未来」をオカルト的に考えてはいけない。行政と議会のせめぎ合いの中で平時の感覚で納得できる範囲でしか準備をしない、というのはそれ以上の現実に対応できないことと表裏一体です。

人間は未来を予測し、それに基づいて行動できる知能を持った知的生命体です。ほかの動物はほぼ類推や推測はできません。それを活かさないというのは、本当にもったいないことです。事件や事故が起きて何かが壊れると補正予算を捻出して直す、それは対症療法でしかない。

デジタルトランスフォーメーションを通じて掴む社会というのは、そういう従来やってきた範疇のことではなく、未来へのビジョンをもとにした発想を、デジタルアイデンティティやその集合である地域のデータをもとに、ＥＢＰＭ（Evidence-Based Policy Making＝証拠に基づく政策立案）ベースで積極的にやっていかないといけないのです。

私は非常勤で、自治体の顧問としてＤＸ推進アドバイザーを2年半ほどやっています。

自治体でのＤＸに関しての戦略的なことや、現状でデジタル化したらもっとスムーズにいくのではないかという課題解決、自治体内に設置されたＤＸ推進チームでのアドバイザー業務が主な仕事です。

そこで感じたのは、まずは小さくてもいいので、デジタル化をすることによって変革が行なわれたという成功体験を積むこと、つまり「前例主義」があるならば、小さくても前例を、成功体験を作れば物事は進んでいくようになる。それをいいほうへ解釈したのです。

これは「紙がＰＤＦ化した」というような単純な体験ではありません。業務のフローが大きく変わることも必要です。業務フローがデジタル化によって劇的に変化すると、庁内にほかにも同じようなフローがあることに気づくんです。そうすると前例主義があるので、「次はここをデジタル化しませんか？」と提案しやすくなるんですね。

また役所は上意下達なところがあります。首長が「これをやる」と宣言したり、議会で取り上げられたりすると、職員は仕事をせざるを得なくなる。これは誰かの思いつきで物事が進んでしまうんじゃないかという危惧もありますが、問題が膠着していたりでなかなか解決できないことが鶴の一声で変わる瞬間が求められる場合もあります。

そのほか、住民からの請願で変わることもありますし、綿密な根回しと段取りによって起案された内容を発端として変わっていくこともありますが、デジタルトランスフォーメーションというのはあくまでやり方、ツール、もっと言えば改革するためのいいキャッチフレーズであり、得たい結果というのはすでに見えていることがほとんどです。しなければならないことは変わりません。

デジタル化したことで仕事がスピーディになったり、正確性が上がったり、保存性や検索性が良くなったりなどいろいろな変化が生まれる。その利をとっていくと、もっと住民と向き合える、その時間も生まれてくる、ということなんですね。


苦言じみたことが多くなってしまいましたが、デジタルトランスフォーメーションの過渡期に直面し喘いでいる行政の職員、すなわち公務員は住民が幸せになることを信じて仕事をしているのだ、ということは知っておいてほしいです。

映画『シン・ゴジラ』でも省庁の垣根を超えて対策チームがすぐに発足していましたが、フィクションだったから描けたということではないんです。２０２０年、コロナ禍において多くの自治体で即座に対策チームが設けられ、いろいろな部署から人員を駆り出して長期間、対応に当たっていました。その間、通常業務にあたっているメンバーは、欠けた人員をカバーしながら遂行してきたわけです。そんな中でデジタルトランスフォーメーションなんて言い出したら、普通「後回し」ですよね。それでも粘り強く全てに取り組んでいる職員がいるということなんです。

国家公務員や地方公務員は、民間と違って仕事が法律や条例、各種規則によって決まっていますので、命令として下りてきた職務に忠実で、堅牢さについて高い信頼性がある、という安心感があります。彼らは公務員試験を突破し、昇進試験なども定期的に受けている人たちなので、皆さん仕事ができる優秀な人材なんです。国に、地域に何かがあった際には惜しみなく人員を投入して業務にあたり、なりふり構わず働いてくれる人たちが役所の中にいる。このことは、住民からは見えづらいかもしれないですが、言葉にできない安心感につながることであると思います。

「自分が自分である」ということを担保してくれるのは誰か？

再びアイデンティティの話に戻りますが、自分がいったいどういう情報を持っているのか、どういう情報で構成された存在なのか、すべて説明できますか？　また自分に関する情報は脳内にあると思っているけれど、実はいろんなところに分散しているものだったりもします。それを突き詰めていくと、「では、リアルな私とは何か？」という疑問が湧いてきます。

例えば「自分が自分である」と証明するには、写真入りの運転免許証やマイナンバーカードがあればすぐにできますが、その背景には「証明書は本人が持っているもの」という社会の共通認識がある。また暗証番号もあるので、それを知っているのはおそらく本人だけで、証明書から紐づいている情報をたどっていけば「自分が自分である」証明はさらに強固になるわけです。

ところが、ある日突然、記憶喪失になってしまった、事故で風貌が変わってしまったとなったら、どう証明していいのか難しくなりますよね。この人は本当に本人なのか、成り代わりやなりすましの可能性もある。自分を証明するためのマスターキーを喪失してしまった時、誰が自分のことを説明してくれるのでしょう？　もしひとりで住んでいて、他人とのコミュニケーションがなければ、この家に住んでいた人なんて知らない、と言われてしまうかもしれない。そうなると他人の記憶も証明してくれなくなってしまいます。これは大きな問題です。

個人が困ることはもちろんですが、社会から見てもそれは困る事態です。デジタルアイデンティティについて色々な話をしましたが、結局、「おぎゃー」と生まれた時から寄り添ってきたデータがなければ、物事が進んでいかないいんですね。

戸籍制度がありつつ、運転免許証やパスポートを民間で身分証明書として用いることができるのは、中央集権的な国家が、本人を本人であると裏付けたことを流用しているわけです。でもその枠組みから外れた時、はたして運転免許証やパスポートが証明として機能するのか。例えば、入場時に身分証が必要なエリアがあったとして、「マイナンバーカードは身分証の代わりにはなりません」と言われたことはありませんか？　代わりになるもならないも、マイナンバーカードって身分証そのものじゃないの？

そう考えると、アイデンティティって意外と私個人のものというよりは、社会のコンセンサスに根ざしているものなんだな、と思うんです。「私って誰？」に結びついているのって、外部からの認定、誰かの記憶だったりしますからね。

デジタルアイデンティティをきっかけに、色々と寄り道もしましたが、ひととおり私が現在考えていることをお話ししました。

自分が誰であるか。自分を構成するデータ、デジタルアイデンティティは誰のものか。

過去に思いを馳せますと、地方の為政者、例えば領主とかお殿様とかが、領土内に誰が住んでいてどのくらいの田畑を持っているかといった情報をリストアップしたわけです。それは本来、税を徴収するためにやっていたことですね。

しかし今では、民間企業が大量に情報を抱えている。ビッグテックや民間企業が先に分厚い個人情報の台帳を作ってしまうことによって、領主に成り代わり、国を操れるほどの力を持っている――これが今の時代の危ういところなんです。

もちろんそこからの反逆的なムーブメントとして非中央集権を目指すＷｅｂ３という

考えもあるんですけれども、すでに情報は個人レベルでコントロールできるものではなくなっている、というのは強く伝えたつもりです。

だからこそ、「おぎゃー」と生まれてから寄り添ってくれる存在は何か、社会生活を成り立たせるのに必要な情報を目的外利用の恐れのない誰に任せたらよいか。

その観点で、「デジタルアイデンティティを安心して預けられるのは行政である」という強さと信頼を取り戻す、敢えて今から、ゼロからだとしても積み重ねていく努力が政府や自治体に求められていると思います。

おわりにというか、はじまってもいないけど……

いかがでしたでしょうか？

「日本でのデジタルアイデンティティの活用のあるべき姿」というテーマで、４人の識者の方々に取材させていただきましたが、我ながらむちゃなお願いだったと思います。

まずはタイトなスケジュールの中、難しいテーマの取材に快くご協力いただいた尾原さん、武邑さん、岡嶋さん、沢さんに感謝申し上げます。

なぜデジタルアイデンティティが注目されているのか、少しはご理解いただけたと思います。

この原稿を書いている今、「ChatGPT」が世間をにぎわしています。ＡＩの進化でおそらくこれからますますドラスティックに社会は動いていくのだろうと思います。ＡＩだけでなく、自動運転の乗り物、ＩｏＴプロダクトといったモノも含めるとデジタルアイデンティティの領域はどんどん広がっていくでしょうし、オンラインとオフラインの世界の境界もますます曖昧になっていくような気もします。

そんな社会で生きていく我々は嫌でもデジタルアイデンティティに向き合わざるを得ないと思います。日本レベルの話になるとちょっと大げさかもしれませんが、デジタル化が進み、働く場所や働き方に縛られることがなくなりつつある今、自分のアイデンティティをどう活かすか、自分がジョインしている社会が、もしくはコミュニティがどうあるべきかをひとりひとりが考えることは非常に重要なことに思えます。

最後になりますが、本書を手にとってくださいまして、ありがとうございました。『DIME』として今後もこのテーマの取材は続けていきたいと思いますし、読者の皆さんへ考えるきっかけを提供していければと思っています。ぜひご注目いただければ幸いです。

小学館　DIME編集部　石﨑寛明

STAFF

「個人が複数のアイデンティティを
ポートフォリオ運営していく時代へ」　尾原和啓

構成　太田百合子
撮影　干川 修

「揺らぐアイデンティティを取り戻し、新しい公共圏を
構築するヒントは日本の『間』の文化にあり」　武邑光裕

構成　橋本 保
撮影　干川 修

「現実世界を前提とした議論の限界と
その先を行く仮想世界」　岡嶋裕史

構成　久我吉史
撮影　干川 修

「デジタルアイデンティティを安心して
預けられるのは行政であるという信頼を」　沢しおん

構成　成田 全
撮影　関口佳代

デザイン　島 寿　芋生麻子(Beeworks)
販売　根來大策
宣伝　阿部慶輔
制作　尾崎弘樹　斉藤陽子
編集　石崎寛明(DIME編集部)

日本が世界で勝つためのシンＩＤ戦略

二〇二三年四月三日　初版一刷発行

編　者　ＤＩＭＥ編集部
編集人　安田典人
発行人　大澤竜二
発行所　株式会社小学館
〒一〇一－八〇〇一　東京都千代田区一ツ橋二－三－一
編集　〇三－三二三〇－五九三〇　販売　〇三－五二八一－三五五五
印　刷　萩原印刷株式会社
製　本　株式会社若林製本工場

造本には十分注意しておりますが、
印刷、製本など製造上の不備がございましたら
「制作局コールセンター」（フリーダイヤル〇一二〇－三三六－三四〇）
にご連絡ください。
（電話受付は、土・日・祝休日を除く九時三十分～十七時三十分）

本書の無断での複写（コピー）、上演、放送等の二次利用、翻案等は、
著作権法上の例外を除き禁じられています。

本書の電子データ化などの無断複製は
著作権法上の例外を除き禁じられています。
代行業者等の第三者による本書の電子的複製も認められておりません。

©SHOGAKUKAN 2023 Printed in Japan
ISBN 978-4-09-389106-6